Kriegsvorschriften
auf dem Gebiete des gewerblichen Rechtsschutzes.

Zusammengestellt und mit Erläuterungen versehen

von

R. Lutter,

Geheimer Regierungsrat im Kaiserlichen Patentamt.

Berlin 1917.

J. Guttentag, Verlagsbuchhandlung,

G. m. b. H.

Inhaltsübersicht.

Abkürzungen.

Bek. = Bekanntmachung.

Blatt = Blatt für Patent-, Muster- und Zeichenwesen.

BV. = Bundesrats-Verordnung.

GMG. = Gesetz, betreffend den Schutz von Gebrauchsmustern vom 1. Juni 1891.

JW. = Juristische Wochenschrift.

PG. = Patentgesetz vom 7. April 1891.

RGBl. = Reichs-Gesetz-Blatt.

RGStrafs. = Entscheidungen des Reichsgerichts in Strafsachen.

RGZiv. = Entscheidungen des Reichsgerichts in Zivilsachen.

WZG. = Gesetz zum Schutze der Warenbezeichnungen vom 12. Mai 1894.

ZPO. = Zivilprozeßordnung.

Kriegsvorschriften auf dem Gebiete des gewerblichen Rechtsschutzes.

I. Vereinfachungen im Patentamt.

Bundesratsverordnung über Vereinfachungen im Patentamt, vom 9. März 1917.

(RGBl. 1917 S. 221, Blatt 1917 S. 26.)

Der Bundesrat hat auf Grund des § 3 des Gesetzes über die Ermächtigung des Bundesrats zu wirtschaftlichen Maßnahmen usw. vom 4. August 1914 (Reichs-Gesetzbl. S. 327) folgende Verordnung erlassen:

§ 1. Die Geschäfte des Vorprüfers und der Anmeldeabteilung im Patentamt werden, soweit es sich um die Prüfung der Anmeldungen und die Erteilung der Patente handelt, einer Prüfungsstelle übertragen. Die Obliegenheiten der Prüfungsstelle werden von einem technischen Mitglied der Anmeldeabteilung wahrgenommen (Prüfer).

Entsprechendes gilt für die Prüfung und Eintragung der Warenzeichen.

Der Präsident des Patentamts regelt die Bildung, den Geschäftskreis und den Geschäftsgang der Prüfungsstellen.

§ 2. Die Beschwerdeabteilungen entscheiden in der Besetzung mit drei Mitgliedern. Unter diesen müssen sich bei der Entscheidung über Beschwerden gegen die Beschlüsse der Prüfungsstellen in Patentsachen zwei technische Mitglieder befinden.

§ 3. In dem Verfahren vor der Prüfungsstelle wird ein Vorbescheid nicht erlassen. Die Prüfungsstelle hat, solange nicht die Bekanntmachung der Anmeldung beschlossen ist, auf Antrag den Patentsucher anzuhören.

Die Vorschrift im § 26 Abs. 3 Satz 3 des Patentgesetzes vom 7. April 1891 (Reichs-Gesetzbl. S. 79) fällt fort.

§ 4. Diese Verordnung tritt am 20. März 1917 in Kraft. Der Reichskanzler bestimmt den Zeitpunkt des Außerkrafttretens.

1. Prüfungsstelle. Nach dem PG. unterliegt eine Anmeldung der Vorprüfung durch ein einzelnes Mitglied der Anmeldeabteilung. Im übrigen liegen die sie betreffenden Geschäfte erster Instanz in der Hand der Anmeldeabteilung. Sie entscheidet über die Erteilung oder Verweigerung des Patents und sie übt — durch den Vorsitzenden — die Verwaltungsgeschäfte aus. Die BV. weist die gesamte rechtsprechende Tätigkeit der ersten Instanz bis zum Abschluß des Erteilungsverfahrens einer mit einem einzelnen Mitgliede („Prüfer") besetzten „Prüfungsstelle" zu.

An der Zugehörigkeit des betreffenden Mitglieds zu einer Anmeldeabteilung wird nichts geändert. Die Anmeldeabteilung bleibt bestehen und versieht ihre Geschäfte nach wie vor. Ihre Obliegenheiten vermindern sich nur um die der Prüfungsstelle zugewiesenen Geschäfte. Da diese einerseits nur bis zum Abschluß des Patenterteilungsverfahrens greifen und andererseits nur auf dem Gebiet der Rechtsprechung liegen, ergibt sich als Zuständigkeitsbereich der Anmeldeabteilung einmal die Ausübung der Rechtsprechung nach der Erteilung oder Versagung des Patents (vorwiegend Rollen- und Gebühren-Angelegenheiten) und sodann die Erledigung der Verwaltungsgeschäfte. (Vergl. §§ 4, 6 der Verord. z. Ausführung des PG. usw. v. 11. Juli 1891, RGBl. S. 349). Diese werden von dem Vorsitzenden ausgeübt; ihm steht die Leitung und Beaufsichtigung des gesamten Geschäftsbetriebes der Anmeldeabteilung, insbesondere auch der Prüfungsstellen, zu.

In derselben Weise ist das Warenzeichenwesen geregelt. Der Prüfer versieht die Geschäfte der ersten Instanz bis zur Eintragung in die Zeichenrolle oder bis zur Versagung der Eintragung. Über die Löschung eines Zeichens entscheidet, wie bisher, die Abteilung.

Gemäß § 1 Abs. 3 hat der Präsident die Prüfungsstellen gebildet und das einer jeden zufallende technische Gebiet bezeichnet. Beschlüsse und Verfügungen der Prüfungsstellen tragen die Unterschrift: „Kaiserliches Patentamt, Prüfungsstelle der Klasse X."

2. Besetzung der Beschwerde-Abteilungen. Die zur Besetzung der Beschwerde-Abteilungen nach Maßgabe der Vorschriften des § 14 Abs. 4 PG. und § 3 Abs. 2 der Ausführungsverordnung zum WZG. v. 30. Juni 1894 (RGBl. S. 495) erforderliche Zahl von fünf Mitgliedern ist auf drei herabgesetzt. Der Unterschied zwischen Entscheidungen (d. h. den den endgültigen Spruch über die Sachbeschwerde gemäß § 26 PG. fällenden Entscheidungen) und anderen Beschlußfassungen (§ 14 cit.) ist also hinsichtlich der Besetzungszahl fortgefallen. Das Erfordernis der Mitwirkung rechtskundiger Mitglieder (§ 14: 2 Juristen, 3 Techniker) ist für Patentsachen aufgegeben. Als Grundsatz für die Besetzung der neuen Beschwerde-Abteilungen ist nur aufgestellt, daß bei den Entscheidungen in Patentsachen zwei technische Mitglieder mitwirken müssen. Auch das dritte Mitglied kann ein Techniker sein. Für andere Beschlußfassungen (Zwischenbescheide im Verfahren gemäß § 26 PG. und Beschlüsse gemäß § 16 PG.) verbleibt es bei der bisherigen Regelung (s. § 14 Abs. 4 PG.).

In Warenzeichensachen muß sich unter den drei entscheidenden Mitgliedern mindestens ein Jurist befinden, nämlich der Vorsitzende, da die Ausführungsverordnung v. 29. April 1904 (RGBl. S. 157), wonach technische Mitglieder in gewissen Umfange den Vorsitz in den Beschwerde-Abteilungen führen können, sich auf Warenzeichensachen nicht erstreckt. Auch die übrigen Mitglieder können Juristen sein.

3. Änderungen im Verfahren.

I. Vor der Prüfungsstelle.

a) Die Vorschrift, daß ein Vorbescheid nicht erlassen wird, bedeutet allgemein den Fortfall dieses Rechtsinstituts mit seinen Wirkungen. Ebenso wenig, wie künftig ein Vorbescheid ergehen kann, kann auch die an die Nichtäußerung von dem PG. geknüpfte Vermutung der Zurücknahme der Anmeldung noch Platz greifen. Die vor dem Inkrafttreten der BV. erlassenen Vorbescheide, deren Frist noch läuft, verlieren also die Bedeutung des Vorbescheids.

Beanstandungen werden künftig nur durch einfache Zwischenverfügung mitgeteilt.

Die Vorschrift des § 22 PG., wonach das Mitglied, das den Vorbescheid erlassen hat, an der Beschlußfassung der Anmeldeabteilung über die Anmeldung nicht teilnehmen darf, ist selbstverständlich in Fortfall gekommen. Nach dem Sinne der BV. ist der Prüfer fortan unter allen Umständen derjenige, der allein über die Patentanmeldung entscheidet, also auch dann, wenn er früher als Vorprüfer einen Vorbescheid erlassen hat.

b) Bis zur Bekanntmachung muß die Anhörung des Anmelders auf seinen Antrag stattfinden. Ein förmlicher Antrag ist nicht erforderlich, es genügt, daß der Anmelder die Anhörung in irgend einer Form, schriftlich oder mündlich, begehrt. Ist ihm auf sein Verlangen einmal Gelegenheit zur mündlichen Äußerung geboten, so ist damit sein Recht auf persönliches Gehör verbraucht. Es ist dem Prüfer indessen unbenommen, den Anmelder wiederholt anzuhören.

II. Vor der Beschwerde-Abteilung. Die Beschränkung, daß ein Anspruch auf mündliche Verhandlung nicht besteht, wenn der Antragsteller bereits in erster Instanz von der entscheidenden Stelle gehört war, ist, im Hinblick auf die mehr aufklärende Bedeutung der Anhörung durch den Prüfer, beseitigt. In der Praxis der Beschwerde-Abteilungen ist davon kaum jemals Gebrauch gemacht worden.

II. Erleichterungen.

a) in den Förmlichkeiten der Anmeldung.

1. Bekanntmachung des Patentamts, betreffend Abänderung der Bestimmungen über die Anmeldung von Erfindungen, vom 4. Januar 1917.

(Blatt 1917 S. 1).

Auf Grund des § 20 Absatz 2 des Patentgesetzes vom 7. April 1891 (Reichs-Gesetzbl. S. 79) werden die Bestimmungen über die Anmeldung von Erfindungen vom 22. November 1898 zu § 4 a) und b) dahin abgeändert, daß bis auf weiteres

1. für die Nebenzeichnung die Verwendung von Zeichenleinwand nicht erforderlich ist, vielmehr eine Zeichnung auf starkem Pauspapier (Glaspapier) oder ein Lichtbild in schwarzen Linien auf weißem Grunde oder in weißen Linien auf braunem Grunde eingereicht werden kann,

2. als Hauptzeichnung bis zum Beschluß über die Bekanntmachung der Anmeldung ein zweites Stück der Nebenzeichnung genügt.

2. Bekanntmachung des Patentamts, betreffend die Abänderung der Bestimmungen über die Anmeldung von Gebrauchsmustern, vom 4. Januar 1917.

(Blatt 1917 S. 2).

Auf Grund des § 2 Absatz 4 des Gesetzes, betreffend den Schutz von Gebrauchsmustern, vom 1. Juni 1891 (Reichs-Gesetzbl. S. 290) werden die Bestimmungen über die Anmeldung von Gebrauchsmustern vom 22. November 1898 zu § 4 a) dahin abgeändert, daß bis auf weiteres für die Abbildung die Verwendung von Kartonpapier oder Zeichenleinwand nicht erforderlich ist, vielmehr eine Zeichnung auf starkem Pauspapier (Glaspapier) oder ein Lichtbild in schwarzen Linien auf weißem Grunde oder in weißen Linien auf braunem Grunde eingereicht werden kann.

b) auf dem Gebiet der Fristen.

Vorbemerkung.

Eine allgemeine Verlängerung der gesetzlichen Fristen mit Rücksicht auf den Kriegszustand hat im Bereich des Patent-, Gebrauchsmuster- und Warenzeichenwesens — abgesehen von den Unionsprioritätsfristen (s. BB. v. 7. Mai 1915, S. 26) — nicht stattgefunden. Insbesondere sind die in den Gesetzen bestimmten Fristen für die Zahlung von Gebühren zur Erlangung und Aufrechterhaltung der Schutzrechte (§ 8 Abs. 1 u. 2 PG. § 8 Abs. 1 GMG. und § 8 Abs. 2, 3 WZG.) nicht verlängert worden. (Hierbei sei bemerkt, daß auch dem mehrfach geäußerten Wunsch, die Dauer der Patente (§ 7 Abs. 1 PG.) und der Gebrauchsmuster (§ 8 Abs. 1 GMG.) zu verlängern, vom Gesetzgeber nicht stattgegeben worden ist.)

Durch die Bundesrats-Verordnungen vom 10. September 1914, 31. März 1915 und 13. April 1916 ist nur die Möglichkeit geboten, gegen die durch den Krieg verursachte Versäumung von Fristen durch Entscheidung im einzelnen Falle Abhilfe zu gewähren.

Das Patentamt hat folgende Grundsätze über Fristen im Blatt 1915 S. 140 mitgeteilt:

I. Allgemeines.

1. Patentanmeldungen, die nach dem Kriegsausbruch eingereicht worden sind und eingereicht werden, oder in denen der Anmelder amtliche Verfügungen nach dem Kriegsausbruch sachlich beantwortet hat, werden in dem seither üblichen Geschäftsgange behandelt, da in beiden Fällen der Anmelder erkennen läßt, daß er auf eine Behandlung der Anmeldung während des Krieges rechnet.

2. Dagegen wird, wenn die Weiterbehandlung der Anmeldung dem Anmelder wegen persönlicher Verhinderung durch den Krieg oder wegen der durch den Krieg veränderten wirtschaftlichen Verhältnisse Schwierigkeit bereitet oder sonst seinen Interessen widerspricht, einem ausreichend begründeten Antrag auf Fristgewährung regelmäßig stattgegeben werden.

3. Soweit in dem Verfahren, wie im Einspruchs- oder Nichtigkeitsverfahren, dritte Personen beteiligt sind, ist über Aussetzungsanträge, Fristgesuche usw. nach Lage des Einzelfalles unter Berücksichtigung der Interessen dieser Dritten zu befinden.

II. Fristgesuche.

1. Fristgesuche sind zu jeder einzelnen Sache besonders zu stellen und mit Gründen zu versehen.

2. Fristgesuche *gelten in Zukunft als bewilligt*, sofern nicht eine *ausdrückliche Ablehnung* des Gesuchs erfolgt. Eine Entscheidung des Patentamts soll nicht ergehen, solange noch die in einem nicht abgelehnten — sei es ersten oder späteren — Fristgesuche erbetene Frist läuft, vielmehr wird in allen Fällen die etwaige Ablehnung des Fristgesuches *vor Erlaß* der Entscheidung dem Antragsteller mitgeteilt werden.

III. Fristen für ausländische Anmelder.

Ausländischen Anmeldern werden der Regel nach, abgesehen vom Einspruchs- und Nichtigkeitsverfahren, folgende Fristen zur Erledigung amtlicher Bescheide gewährt:

1. Anmeldern, die in Europa wohnen: 3 Monate,
2. Anmeldern, die in den Vereinigten Staaten von Nordamerika wohnen: mindestens 4 Monate,
3. Anmeldern, die in sonstigen außereuropäischen Staaten wohnen: 6 Monate.

1. Bundesrats-Verordnung, betreffend vorübergehende Erleichterungen auf dem Gebiete des Patent-, Gebrauchsmuster- und Warenzeichenrechts, vom 10. September 1914.

(RGBl. 1914 S. 403; Blatt 1914 S. 290).

Der Bundesrat hat auf Grund des § 3 des Gesetzes über die Ermächtigung des Bundesrats zu wirtschaftlichen Maßnahmen usw. vom 4. August 1914 (Reichs-Gesetzbl. S. 327) folgende Verordnung erlassen:

§ 1. Das Patentamt kann bis auf weiteres einem Patentinhaber, der infolge des Krieges außerstand gesetzt worden ist, die nach § 8 Abs. 2 des Patentgesetzes vom 7. April 1891 (Reichs-Gesetzbl. S. 79) fällige Jahresgebühr zu zahlen, auf Antrag die Gebühr bis zum Ablauf von längstens neun Monaten vom Beginne des laufenden Patentjahrs an stunden und die Zuschlagsgebühr (§ 8 Abs. 3 a. a. O.) erlassen. Die Entscheidung des Patentamts ist unanfechtbar.

Für Patente, die am 31. Juli 1914 noch nicht erloschen waren, ist die Stundung auch dann zulässig, wenn sie nach Ablauf der gesetzlichen Zahlungsfristen (§ 8 Abs. 3 a. a. O.) beantragt ist.

§ 2. Wer durch den Kriegszustand verhindert worden ist, dem Patentamt gegenüber eine Frist einzuhalten, deren Versäumung nach gesetzlicher Vorschrift einen Rechtsnachteil zur Folge hat, ist auf Antrag wieder in den vorigen Stand einzusetzen. Die Wiedereinsetzung muß innerhalb einer Frist von zwei Monaten beantragt werden; im übrigen sind die Bestimmungen der §§ 233 ff. der Zivilprozeßordnung entsprechend anzuwenden.

§ 3. Die Vorschriften der §§ 1, 2 finden zugunsten von Angehörigen ausländischer Staaten nur dann Anwendung, wenn in diesen Staaten nach einer im Reichsgesetzblatt enthaltenen Bekanntmachung den deutschen Reichsangehörigen gleichartige Erleichterungen gewährt werden.

§ 4. Diese Verordnung tritt mit dem Tage der Verkündung in Kraft.

Bemerkung: Verkündet am 11. Sept. 1914.

2. Bundesrats-Verordnung, betreffend weitere Erleichterungen auf dem Gebiete des Patent- und Gebrauchsmusterrechts, vom 31. März 1915.

(RGBl. 1915 S. 212; Blatt 1915 S. 118).

Der Bundesrat hat auf Grund des § 3 des Gesetzes, betreffend die Ermächtigung des Bundesrats zu wirtschaftlichen Maßnahmen usw., vom 4. August 1914 (Reichs-Gesetzbl. S. 327) folgende Verordnung erlassen:

§ 1. Die durch § 1 der Verordnung, betreffend vorübergehende Erleichterungen auf dem Gebiete des Patent-, Gebrauchsmuster- und Warenzeichenrechts, vom 10. September 1914 (Reichs-Gesetzbl. S. 403) dem Patentamt erteilte Befugnis zur Stundung von Gebühren wird auf die im § 8 Abs. 1 des Gesetzes, betreffend den Schutz von Gebrauchsmustern, vom 1. Juni 1891 (Reichs-Gesetzbl. S. 290) vorgesehene Gebühr ausgedehnt. Die Stundungszeit beginnt mit dem Ablauf der gesetzlichen Schutzfrist.

§ 2. Die gestundeten Gebühren für Patente und Gebrauchsmuster können mit Wirkung vom Ablauf der Stundungszeit auf Antrag weiter gestundet werden, wenn die Löschung noch nicht erfolgt ist. Der Reichskanzler setzt fest, wann die ohne genauere Zeitbestimmung bis nach der Beendigung des Krieges gestundeten Gebühren spätestens gezahlt werden müssen.

§ 3. Über die Anträge auf Stundung oder Erlaß von Gebühren entscheidet der Präsident des Patentamts. Die Entscheidung des Präsidenten ist endgültig.

§ 4. Die Zeit, für welche die Bekanntmachung der Patentanmeldung ausgesetzt werden kann (§ 23 Abs. 4 des Patentgesetzes vom 7. April 1891, Reichs-Gesetzbl. S. 79), wird um ein Jahr verlängert.

Der Anspruch des Patentsuchers auf die Aussetzung fällt weg, wenn der Präsident des Patentamts erklärt, daß sie nicht dem öffentlichen Interesse entspricht; hierüber befindet der Präsident endgültig

§ 5. Diese Verordnung tritt mit dem 7. April 1915 in Kraft. Der Reichskanzler bestimmt, wann diese Verordnung und die Verordnung vom 10. September 1914 außer Kraft treten.

3. Bundesrats-Verordnung über Erleichterungen im Patent-, Gebrauchsmuster- und Warenzeichenrechte, vom 13. April 1916.

(RGBl. 1916 S. 278; Blatt 1916 S. 50).

Der Bundesrat hat auf Grund des § 3 des Gesetzes über die Ermächtigung des Bundesrats zu wirtschaftlichen Maßnahmen usw. vom 4. August 1914 (Reichs-Gesetzbl. S. 327) folgende Verordnung erlassen:

§ 1. Im § 2 der Verordnung, betreffend vorübergehende Erleichterungen auf dem Gebiete des Patent-, Gebrauchsmuster- und Warenzeichenrechts, vom 10. September 1914 (Reichs-Gesetzbl. S. 403) wird Satz 2 gestrichen und folgender Absatz 2 angefügt:

> Die Wiedereinsetzung muß innerhalb einer Frist von zwei Monaten nach dem Wegfall des Hindernisses beantragt werden. Der Reichskanzler bestimmt, von welchem Zeitpunkt an der Antrag nicht mehr zulässig ist. Im übrigen sind die Bestimmungen der §§ 236 ff. der Zivilprozeßordnung entsprechend anzuwenden.

§ 2. Die Bekanntmachung der Patentanmeldung kann nach Ablauf der im § 4 Abs. 1 der Verordnung, betreffend weitere Erleichterungen auf dem Gebiete des Patent- und Gebrauchsmusterrechts, vom 31. März 1915 (Reichs-Gesetzbl. S. 212) vorgesehenen Zeit weiter ausgesetzt werden. Der Reichskanzler bestimmt, bis zu welchem Zeitpunkt die Aussetzung dauert.

§ 3. Diese Verordnung tritt mit dem Tage der Verkündung in Kraft. Der Reichskanzler bestimmt den Zeitpunkt des Außerkrafttretens.

Bemerkung: Verkündet am 15. April 1916.

I. Stundung.

1. Allgemeines. Nach § 8 Abs. 4 PG. können dem Anmelder und dem Patentinhaber bei Nachweis der Bedürftigkeit die erste und die zweite Jahresgebühr gestundet werden. Hieran wird nichts geändert. Die Kriegsstundung steht neben der Friedensstundung den Beteiligten zu Gebote; dies hat nur für die zweite Jahresgebühr Bedeutung (vergl. Anm. 3.).

Mit der Kriegsstundung kann der Erlaß der gemäß § 8 Abs. 3 PG. fällig gewordenen Zuschlagsgebühr verbunden werden. Dieser Erlaß wird regelmäßig bei der Stundung ausgesprochen.

2. Wesen der Stundung. Die Stundung besteht in einer Hinausschiebung des Fälligkeitstermins. Sie wirkt nicht bloß für die Zukunft, sondern hat insofern rückwirkende Kraft, als sie auch für bereits erloschene Patente u. Gebrauchsmuster gewährt werden kann. Sie hat unter Umständen nur rückwirkende Kraft, nämlich dann, wenn die versäumte Zahlung geleistet ist und Stundung bis zum Zahlungstage gewährt wird.

3. Stundungsfähige Gebühren. Mit der Kriegsstundung können gestundet werden alle Patentjahresgebühren von der zweiten Jahresgebühr an (§ 8 Abs. 2 PG.) sowie die Gebrauchsmuster-Verlängerungsgebühr (§ 8 Abs. 1 GMG.). Die erste Patentjahresgebühr kann mit der Kriegsstundung nicht gestundet werden; ist sie infolge der Friedensstundung mit der 2. oder 3. Jahresgebühr zu einer rechtlichen Einheit verschmolzen, so kann der Gesamtbetrag mit der Kriegsstundung gestundet werden.

Den Gegenstand der Stundung bildet nur eine bestimmte Gebühr. Eine Stundung der Jahresgebühren eines Patents schlechthin ist nicht zulässig (vergl. auch Anm. 6 zu b.).

Andere Gebühren, insbesondere die Anmelde- oder Beschwerde-Gebühr, können nicht gestundet werden.

4. Stundungszeit. Weiterstundung. Die Stundung kann zunächst auf längstens neun Monate gestundet werden. Diese Frist läuft vom Tage der Fälligkeit an (die zwei Sechswochenfristen des § 8 Abs. 3 PG. sind also in den neun Monaten enthalten!). Dies ist bei Patentjahresgebühren regelmäßig der Beginn des laufenden Patentjahres; der erste Tag des Patentjahres ist der erste Tag der Neunmonatsfrist (§ 187 Abs. 2 BGB.). Ist die Fälligkeit einer Patentjahresgebühr mit der Zustellung oder Rechtskraft des Patenterteilungsbeschlusses eingetreten, so läuft die Neunmonatsfrist von diesem Zeitpunkt an; der auf

das Ereignis folgende Tag ist der erste Tag der Frist (§ 187 Abs. 1 BGB.). Werden mehrere Jahresgebühren durch Stundung oder Erteilung des Patents nach Ablauf der ersten beiden Patentjahre zusammen fällig, so bilden sie für die Zahlung und demgemäß auch für die Stundung eine Einheit.

Nach Ablauf der Neunmonatsfrist greifen die Zahlungsfristen des § 8 Abs. 3 PG. (zweimal sechs Wochen) nicht Platz. Das Patent erlischt also, wenn die gestundete Gebühr nicht spätestens am letzten Tage der Stundungsfrist gezahlt wird.

Eine mittels Kriegsstundung gestundete Gebühr kann auf Antrag bis nach Beendigung des Krieges weiter gestundet werden. Die Zeitgrenze für die Zahlung solcher Gebühren setzt seinerzeit der Reichskanzler fest (§ 2 BV. v. 31. März 1915). Die Weiterstundung schließt sich stets, auch wenn sie längere Zeit nach Ablauf der erstmaligen Stundungsfrist gewährt wird, in ihrer Wirkung an die erstmalige Stundung unmittelbar an (§ 2 a. a. O.), so daß eine fortlaufende Stundungsfrist entsteht.

Die Stundung kann natürlich nicht zur Verlängerung der gesetzlichen Höchstdauer des Schutzes (Patente 15 Jahre, Gebrauchsmuster 6 Jahre) führen. Mit ihrem Ablauf erlischt das Patent oder Gebrauchsmuster unter allen Umständen.

5. Voraussetzungen. Voraussetzung für die Kriegsstundung ist die durch den Krieg verursachte Unmöglichkeit der Zahlung (Stillstand des Geschäfts, Erwerbsunfähigkeit infolge Einberufung zum Heeresdienst u. dergl.). Die Unmöglichkeit der Verwertung des Patents oder Gebrauchsmusters ist kein genügender Grund, es müßte denn sein, daß das Schutzrecht die wesentliche Einnahmequelle des Antragstellers bildet. Eine Stundung kommt nicht in Frage, wenn der Antragsteller nur Bedenken hat, ob die Aufrechterhaltung des Schutzrechts lohnend sein wird.

Eine Stundung ist nicht zulässig, wenn die Löschung des Patents oder Gebrauchsmusters in der Rolle bereits erfolgt ist (§ 2 BV. v. 31. März 1915). Wegen der Beseitigung der Löschung im Wege der Wiedereinsetzung in den vorigen Stand s. Anm. II, 7 (S. 25). Eine Stundung ist ferner nicht zulässig, wenn das Patent oder Gebrauchsmuster durch Verzicht erloschen ist. Ist gezahlt, so kann eine Stundung und Rückgewährung des Gezahlten nicht stattfinden; denn die Zahlung widerlegt die Behauptung der Unmöglichkeit der Zahlung. Wird eine Gebühr gezahlt unter der Bedingung, daß einem gleichzeitig eingereichten Stundungsantrag nicht stattgegeben werden sollte, so wird der Regel nach die Zahlung als endgültig geleistet anzusehen und demgemäß die Stundung zu verweigern sein, da der Wille des Zahlenden dahin geht, auf alle Fälle das Patent aufrecht zu erhalten. Nähme man in solchem Falle an, daß eine reine Bedingung vorliegt, so wäre, da eine bedingte Zahlung von Patent- oder Gebrauchsmustergebühren nach allgemeinen Grundsätzen rechtlich unzulässig ist, die Zahlung als unwirksam zurückzuweisen, was bei Ablehnung des Stundungsantrages den Verfall des betreffenden Schutzrechts zur Folge hätte. Da regelmäßig sicher ist, daß der Zahlende diesen Erfolg nicht gewollt hat, ist die Zahlung als endgültig und die Bedingung als wirkungslos zu behandeln.

6. Stundungsantrag. a) Befugnis zur Stellung des Antrages. Zur Stellung des Antrages befugt ist jeder an dem Fortbestehen des Schutzrechts Beteiligte, sofern ihm die Zahlung der Gebühren obliegt (z. B. der Lizenznehmer).

Ist der zur Stellung des Antrages Befugte infolge des Kriegszustandes behindert, so können andere Personen, insbesondere Angehörige, als Vertreter ohne Vollmacht zugelassen werden. Einer von mehreren Berechtigten kann die Stundung erwirken, wenn die Umstände ergeben, daß durch sein Unvermögen zur Zahlung auch die Lage der übrigen ungünstig beeinflußt wird, oder wenn nach den Abmachungen mit den anderen ihm allein die Zahlung obliegt.

b. Begründung. Die den Antrag rechtfertigenden Tatsachen sind bestimmt anzugeben. Einem etwa bloß „vorsorglich" gestellten Antrage kann daher nicht stattgegeben werden. Die bloße Bezugnahme auf die BV. oder auf den Kriegszustand genügt nicht. Für die Beurteilung der Stundungsvoraussetzungen maßgebend ist der Zustand zur Zeit der Fälligkeit der zu stundenden Gebühr. Ein vorzeitiger Antrag kann daher keinen Erfolg haben. Beweismittel sind entbehrlich, wenn der Sachverhalt dem Zusammenhang und den Umständen nach glaubhaft ist.

c) Zeit. Der Antrag auf erstmalige Stundung (s. Anm. 4) muß vor Ablauf der längstmöglichen Stundungsfrist, also von neun Monaten seit der Fälligkeit, gestellt werden. Ist diese Frist versäumt, so kann nur im Wege der Wiedereinsetzung in den vorigen Stand Abhilfe gewährt werden. Im Gegensatz zu der Friedensstundung für Patente, die noch innerhalb der gesetzlichen Zahlungsfristen (§ 8 Abs. 3 PG.) beantragt werden muß, kann die Kriegsstundung auch nach Überschreitung der im Patent- und Gebrauchsmuster-Gesetz für die Zahlung gesetzten Zeitgrenze beantragt werden, also auch für bereits erloschene Patente und Gebrauchsmuster. (Die zeitliche Schranke des 31. Juli 1914, § 1 BV. 10. Sept. 1914 hat z. Zt. keine Bedeutung mehr.) Es empfiehlt sich jedoch, den Antrag innerhalb der gesetzlichen Zahlungsfristen zu stellen.

Der Antrag auf Weiterstundung bis nach Beendigung des Krieges (s. Anm. 4) ist auch nach Ablauf der erstmaligen Stundungsfrist zeitlich unbeschränkt zulässig.

Sowohl der Antrag auf erstmalige als auch der auf weitere Stundung sind jedenfalls vor der Löschung des Patents oder Gebrauchsmusters zu stellen.

Wenn auch der Antrag grundsätzlich nicht vor der Fälligkeit zu stellen ist (s. Anm. 6 b), so ist es doch natürlich zulässig, ihn kurze Zeit vorher einzureichen, d. h. zu einer Zeit, wo sich übersehen läßt, wie die Sachlage zur Zeit der Fälligkeit sein wird.

7. Zuständigkeit. Über die Stundung entscheidet der Präsident des Patentamts (BB. 31. März 1915. Ein Rechtsmittel ist gegen die Entscheidung nicht gegeben. Wegen der Entscheidung über die Wiedereinsetzung in den vorigen Stand gegen Versäumung der Neunmonatsfrist zur Stellung des Stundungsantrages s. S. 25.

8. Stundung für Ausländer. Einem Angehörigen eines ausländischen Staates kann eine Stundung nur dann gewährt werden, wenn in diesem Staate nach einer im Reichsgesetzblatt enthaltenen Bekanntmachung den deutschen Reichsangehörigen gleichartige Erleichterungen gewährt werden. Maßgebend ist also für die Entscheidung über den Stundungsantrag eines Ausländers lediglich, ob eine solche Bekanntmachung erlassen ist oder nicht. Eine Prüfung, ob in der Tat Gegenseitigkeit besteht, ist ausgeschlossen. Es kommt auf die Staatsangehörigkeit des Stundungsantragstellers, nicht des Patent- oder Gebrauchsmuster-Inhabers an; die Stundung kann also z. B. dem deutschen Lizenznehmer eines englischen Patentinhabers gewährt werden.

Eine Bekanntmachung über die Gegenseitigkeit im Reichsgesetzblatt ist erlassen bezüglich Dänemark, Italien, Norwegen, Schweiz, Spanien, Vereinigten Staaten von Amerika (RGBl. 1914 S. 450, Blatt 1914 S. 315) Belgien, Österreich, Ungarn, Portugal, Frankreich (RGBl. 1915 S. 107, Blatt 1915 S. 24), Schweden (RGBl. 1915 S. 151, Blatt 1915 S. 99), Brasilien, Griechenland (RGBl. 1915 S. 278, Blatt 1915 S. 142), Luxemburg (RGBl. 1915 S. 626, Blatt 1915 S. 210), Niederlande (RGBl. 1916 S. 1144, Blatt 1916 S. 122).

II. Wiedereinsetzung in den vorigen Stand.

s. Gew. Rechtsschutz u. Urheberrecht 1916 S. 157 ff. u. 215 ff.

1. Allgemeines. Die Wiedereinsetzung in den vorigen Stand ist ein in dem Verfahren vor dem Patentamt neuer Rechtsbehelf. Ihre Zulässigkeit in diesem war vor dem Kriege in der Praxis stets verneint

worden, vergl. PA. 10. Nov. 1894 (Blatt 1894/95 S. 146) und 28. Dez. 1909 (das. 1910 S. 153).

Während die Kriegsstundung nur im Patent- und Gebrauchsmusterwesen zur Anwendung gelangt, erstreckt sich der Rechtsbehelf der W. außerdem auch auf das Warenzeichenwesen.

Die W. ist geregelt durch die BV. v. 10. Sept. 1914 u. 13. April 1916. Sie lehnt sich an die ZPO. an, ist aber in ihren allgemeinen Grundlagen ein selbständiges, seine Rechtsnormen in sich selbst tragendes Rechtsinstitut. Bezüglich der Form und des Inhalts des Antrages, der Zuständigkeit und des Verfahrens übernimmt sie die Sätze der ZPO. (§§ 236 bis 238; vergl. BV. v. 13. April 1916) zu entsprechender Anwendung.

2. Voraussetzungen.

a) Die W. gewährt Abhilfe gegen Versäumung einer Frist, d. h. eines durch Anfang- und Endtermin festumgrenzten Zeitabschnitts, der einem Beteiligten zur Vornahme einer bestimmten Handlung zur Verfügung steht. Ein in anderer Weise bestimmter Zeitabschnitt kommt nicht in Frage. Daher keine W. z. B. gegen Versäumung der Möglichkeit, eine deutsche Anmeldung vor druckschriftlicher Veröffentlichung des entsprechenden ausländischen Patents einzureichen. Ebenso wenig können andere Versäumnisse, z. B. Versäumung eines Termins zur mündlichen Verhandlung, durch W. geheilt werden.

Die BV. bezieht sich sowohl auf Verfahrensfristen (z. B. Beschwerdefrist) als auch auf Fristen von materiell-rechtlicher Bedeutung (insbesondere Fristen für die Zahlung von Patentjahresgebühren).

Die Fristen können solche sein, deren Zeitdauer das Gesetz bestimmt (z. B. Berufungsfrist, § 33 PG.) und solche, die das Patentamt gesetzt hat (z. B. Frist zur Sicherheitsleistung im Falle des § 28 Abs. 5 PG.).

b) Die Frist muß dem Patentamt gegenüber einzuhalten gewesen sein. Das bedeutet nicht, daß die Frist in einem vor dem PA. schwebenden Verfahren laufen müsse, sondern nur, daß die die Frist wahrende Handlung dem PA. gegenüber vorzunehmen ist.

c) Die Versäumung der Frist muß nach gesetzlicher Vorschrift einen Rechtsnachteil zur Folge haben. Die W. findet also als außerordentlicher Rechtsbehelf nur da statt, wo der fruchtlose Ablauf der Frist eine ohne weiteres, kraft Gesetzes und unabänderlich eintretende Rechtsfolge herbeiführt, die für den Betroffenen einen Nachteil bedeutet (z. B. Frist zur Zahlung der Patentjahresgebühren, der Gebrauchsmuster-Verlängerungsgebühr, § 8 GMG., und der Warenzeichenerneuerungs-Gebühr, § 8 WZG.). Eine W. ist daher z. B. nicht gegeben gegen Nichteinhaltung einer in einer Zwischenverfügung gesetzten Frist zur Äußerung oder zur Beseitigung eines Mangels der Anmeldung. Der Ablauf der Frist hat in einem solchen Falle keinerlei unmittelbare Rechtsfolge; die beschließende Stelle kann je nach der Sachlage zugunsten oder zuungunsten des Säumigen entscheiden. Dasselbe gilt für die in § 29 PG. zur Erklärung auf die Nichtigkeitsklage gesetzte einmonatige Frist. Eine Benachteiligung in einem Recht tritt nicht ein durch Versäumung der Einspruchsfrist (§ 24 PG.), da der Einsprechende kein eigenes Recht geltend macht, PA. 16. Dez. 1915 (Blatt 1916 S. 23); anders bei Einspruch wegen widerrechtlicher Entnahme (§ 3 Abs. 2 PG.). Gegen Versäumung der Beschwerdefrist hat jedoch auch der Einsprechende das Recht auf W., da er durch den Ablauf der Frist in seiner prozessualen Rechtsstellung eine Einbuße erleidet. Einen Rechtsnachteil erfährt durch Ablauf der Frist zur Erhebung des Widerspruchs gegen die Eintragung eines Warenzeichens der Inhaber eines älteren Zeichens (§ 5 WZG.), ihm gebührt daher die W. Die beim Einspruch geltenden Grundsätze finden auch Anwendung auf die Erhebung der Nichtigkeitsklage: Gegen die Versäumung der fünfjährigen Frist zur Klageerhebung, § 28 Abs. 3 PG., ist daher keine W. gegeben, wohl aber gegen Versäumung der Berufungsfrist für den Kläger, ebenso wie für den Beklagten.

d) Die zwölfmonatige Frist zur Beanspruchung der Priorität einer ausländischen Anmeldung gemäß Art. 4 des Unions-Vertrages gehört nicht zu denjenigen, gegen deren Versäumung die W. zulässig ist. Für die Verlängerung der Unions-Prioritätsfristen aus dem Gesichtspunkt der Kriegsbehinderung ist ausschließlich die BV. v. 7. Mai 1915 (s. S. 26) maßgebend. Durch sie ist zum Ausdruck gebracht, daß Angehörige anderer Staaten, als derjenigen, denen generell die Verlängerung der Frist zu Gute kommen soll, die Vergünstigung der Fristverlängerung nicht genießen sollen. Diese Vergünstigung kann ihnen daher auch nicht auf dem Umwege der W. zugewendet werden.

e) Verhinderung durch den Kriegszustand. Hierunter fallen nicht nur Umstände, die mit der persönlichen Inanspruchnahme des Beteiligten durch den Krieg (Heeresdienst, Heranziehung zum vaterländischen Hilfsdienst u. dergl.) zusammenhängen, sondern auch Gründe, die in durch den Krieg hervorgerufenen geschäftlichen Hemmungen (Heranziehung zur Unterstützung in anderen Berufen, ungewöhnliche Geschäftsbelastung, vergl. RG. 11. Dez. 1915 (JW. 1916 S. 422), Einziehung verantwortlicher Angestellter zum Heeresdienst, Störungen des Postverkehrs u.

dergl.) bestehen. Die bloße Beteiligung an Kriegslieferungen ist nicht ohne weiteres zu berücksichtigen.

Der Kriegszustand an sich ist kein Hinderungsgrund. Die Wiedereinsetzung hat vielmehr zur Voraussetzung, daß er gerade in Beziehung auf denjenigen, der die Frist zu wahren hatte, für ihre Versäumung ursächlich gewesen ist

Eine Wiedereinsetzung ist ausgeschlossen, wenn der beeinträchtigende Einfluß des Kriegszustandes auf die zur Wahrung der Frist vorzunehmende Handlung auf einem Verschulden des Beteiligten beruht

f) Eine Wiedereinsetzung ist nicht angängig, wenn darauf verzichtet worden ist. Als Verzicht ist es z. B. anzusehen, wenn der Patentinhaber nach Ablauf der Zahlungsfrist für eine Jahresgebühr erklärt, das Patent fallen zu lassen.

3. Zulässigkeit des Antrags. Die Wiedereinsetzung muß innerhalb einer Frist von 2 Monaten nach dem Wegfall des Hindernisses beantragt werden (BV. v. 13. April 1916). Wann dies der Fall ist, ist Tatfrage. Ist die versäumte Handlung (z. B. die Zahlung einer Gebühr) nachgeholt worden, so ist unwiderleglich bewiesen, daß zur Zeit, als dies geschah, das Hindernis beseitigt war. Der Wiedereinsetzungsantrag darf daher unter keinen Umständen mehr als 2 Monate nach der Nachholung der Handlung gestellt werden.

Die gemäß BV. v. 10. Sept. 1914 entsprechend anzuwendende Vorschrift des § 234 ZPO. (wonach nach Ablauf eines Jahres, von dem Ende der versäumten Frist an gerechnet, die Wiedereinsetzung nicht mehr beantragt werden kann, also auch dann nicht, wenn bis dahin das Hindernis noch nicht beseitigt sein sollte) ist durch die BV. v. 13. April 1916 beseitigt. Nach ihr wird der Reichskanzler bestimmen, von welchem Zeitpunkt an der Antrag auf Wiedereinsetzung nicht mehr zulässig ist. Bis zur Festsetzung dieses Zeitpunktes besteht eine äußerste Grenze für die Zulässigkeit des Antrages nicht.

4. Antrag. Die Wiedereinsetzung wird auf Antrag gewährt. Berechtigt dazu ist derjenige, der durch den Kriegszustand an der Einhaltung der Frist verhindert worden ist. Dies braucht z. B. bezüglich der Patentjahresgebühren nicht notwendig der Patentinhaber zu sein; vielmehr kann auch ein anderer, der nachweist, daß er zufolge seiner rechtlichen Beziehungen zu dem Patent oder dem Patentinhaber gezahlt haben würde, wenn er nicht gehindert worden wäre (z. B. ein Lizenznehmer), die Wiedereinsetzung erlangen.

Mit dem Antrag ist die versäumte Handlung nachzuholen, wenn dies nicht etwa schon vorher geschehen ist (s. Anm. 3).

Es ist also z. B. nunmehr die bis jetzt unmöglich gewesene Beschwerde einzulegen, die Zahlung einer Patentjahresgebühr zu bewirken usw. Mit dem Antrage wird begehrt, diese nachgeholte Handlung als rechtzeitig zuzulassen (s. Anm. 7). Ein Antrag, die Wiedereinsetzung zu gewähren, damit alsdann die versäumte Handlung nachgeholt werde, kann daher keinen Erfolg haben.

Der Antrag muß die Angabe der die Wiedereinsetzung begründenden Tatsachen und der Mittel zu ihrer Glaubhaftmachung enthalten (§ 236 ZPO.). Nur ein so beschaffener Antrag kann die Zweimonatsfrist nach Wegfall des Hindernisses (s. Anm. 3) wahren. Eine Nachholung dieser Angaben nach Ablauf dieser Frist ist unzulässig; dagegen ist eine bloße Erläuterung oder nähere Ausführung der gemachten Angaben jederzeit statthaft. Wegen der Glaubhaftmachung s. § 294 ZPO. Besonderer Mittel hierzu bedarf es nicht, wenn die Angaben des Antrags nach Lage der Sache ohnehin glaubhaft erscheinen.

5. Zuständigkeit. Über den Antrag entscheidet die Dienststelle, welcher die Entscheidung über die nachgeholte Prozeßhandlung zusteht (§ 237 ZPO.). Also z. B. im Patenterteilungsverfahren in erster Instanz (Versäumung der Frist zur Zahlung der ersten Jahresgebühr) die Prüfungsstelle, in zweiter Instanz (Versäumung der Beschwerdefrist) die Beschwerde-Abteilung; bei Versäumung der Fristen für die Patentjahresgebühren für ein erteiltes Patent die Anmeldeabteilung; dagegen der Präsident der PA., wenn die Wiedereinsetzung gegen die Versäumung der Neunmonatsfrist zur Beantragung der Kriegsstundung (s. oben Anm. I, 7) beantragt wird.

6. Verfahren. Das Verfahren über den Antrag auf Wiedereinsetzung ist mit dem Verfahren über die nachgeholte Prozeßhandlung zu verbinden; das Verfahren kann jedoch zunächst auf die Verhandlung und Entscheidung über den Antrag beschränkt werden (§ 238 ZPO.). Bei Verweigerung der Wiedereinsetzung ist die Verbindung selbstverständlich; denn dann wird lediglich ausgesprochen, daß die Verspätung der nachgeholten Handlung nicht geheilt wird. Die nachgeholte Beschwerde wird also in solchem Falle als unzulässig verworfen. Bei Gewährung der Wiedereinsetzung kann dagegen eine Trennung im Interesse der Übersichtlichkeit des Verfahrens zweckmäßig sein.

Die Anfechtung der Entscheidung über die Wiedereinsetzung unterliegt den für die nachgeholte Prozeßhandlung geltenden Regeln (§ 238 ZPO.).

7. Wirkung. Die Wiedereinsetzung ist eine behördliche — Recht schaffende — Anordnung, die der verspäteten Prozeß-

handlung die Wirkung einer rechtzeitigen verleiht, und zwar endgültig und bindend für jedermann. Die Folge dieser nachträglichen Verleihung ist, daß die Rechtslage, die sich aus der nicht rechtzeitigen Vornahme ergeben hatte, als nicht eingetreten anzusehen ist. Alles, was auf Grund dieser Rechtslage geschehen ist, fällt in sich zusammen. Vergl. RGZiv. Bd. 42 S. 367. Diese Wirkung kann z. B. sowohl erteilte wie erloschene Patente ergreifen; sie findet insbesondere auch nicht in der Veröffentlichung der Erteilung oder der Löschung eine Schranke.

8. Wiedereinsetzung von Ausländern. Das zu I Anm. 8 Angegebene findet entsprechende Anwendung.

III. Verlängerung der Zeit der Aussetzung der Bekanntmachung einer Patentanmeldung.

Die sechsmonatige Zeit der Aussetzung der Bekanntmachung der Patentanmeldung (§ 23 Abs. 4 PG.) war durch die BV. v. 31. März 1915 um ein Jahr verlängert worden. Durch die BV. v. 13. April 1916 ist darüber hinaus die Möglichkeit der Verlängerung auf unbestimmte Zeit (bis zu einem seinerzeit vom Reichskanzler zu bestimmenden Zeitpunkt) gegeben worden.

Der Antrag auf weitere Aussetzung ist zu begründen.

Die Aussetzung ist zu verweigern, die Bekanntmachung also sofort zu bewirken, wenn der Präsident des PA. erklärt, daß die Aussetzung nicht dem öffentlichen Interesse entspricht. Vor Abgabe dieser Erklärung wird regelmäßig der Patentsucher gehört. Die Erklärung bedarf keiner Begründung. Ein Rechtsmittel ist gegen sie nicht gegeben. Zufolge der Erklärung des Präsidenten fällt auch das Recht des Patentsuchers auf Aussetzung auf die ersten drei Monate nach dem Bekanntmachungsbeschluß fort.

4. Bundesrats-Verordnung, betreffend die Verlängerung der im Artikel 4 der revidierten Pariser Übereinkunft zum Schutze des gewerblichen Eigentums vom 2. Juni 1911 vorgesehenen Prioritätsfristen, vom 7. Mai 1915.

(RGBl. 1915 S. 272, Blatt 1915 S. 142).

Der Bundesrat hat auf Grund des § 3 des Gesetzes, betreffend die Ermächtigung des Bundesrats zu wirtschaftlichen Maßnahmen usw., vom 4. August 1914 (Reichs-Gesetzbl. S. 327) folgende Verordnung erlassen:

§ 1. Die im Artikel 4 der revidierten Pariser Übereinkunft zum Schutze des gewerblichen Eigentums vom 2. Juni 1911 (Reichs-Gesetzbl. 1913 S. 209) vorgesehenen Prioritätsfristen werden, soweit sie nicht vor dem 31. Juli 1914 abgelaufen sind, bis zum Ablauf von sechs Monaten von der Beendigung des Kriegszustandes an, längstens aber bis zum 30. Juni 1916*) verlängert; der Reichskanzler bestimmt den Zeitpunkt, mit dem der Kriegszustand als beendet anzusehen ist.

Diese Vorschrift findet zugunsten von Angehörigen ausländischer Staaten Anwendung, wenn und insoweit in diesen Staaten nach einer im Reichsgesetzblatt enthaltenen Bekanntmachung die Prioritätsfristen zugunsten der deutschen Reichsangehörigen verlängert sind.

§ 2. Diese Verordnung tritt mit dem Tage ihrer Verkündung in Kraft.

Bemerkung: Verkündet am 8. Mai 1915.

1. Durch die BV. sind alle Prioritätsfristen des Art. 4 des Unions-Vertrages kraft Gesetzes verlängert worden. Die Verlängerung ist zunächst auf unbestimmte Zeit erfolgt. Sie wird seinerzeit ihr Ende finden mit Ablauf von 6 Monaten von einem vom Reichskanzler zu bestimmenden Zeitpunkt an. Die Verlängerung hat rückwirkende Kraft, erfaßt also auch Fristen, die bereits abgelaufen waren, jedoch mit der Maßgabe, daß Fristen, die schon vor dem 31. Juli 1914 abgelaufen waren, von der Verlängerung ausgeschlossen sind. Ist also z. B. eine Patentanmeldung am 1. Jan. 1914 in einem Unionsstaat hinterlegt, so kann noch in einer am 1. April 1917 eingereichten deutschen Anmeldung die Unionspriorität vom 1. Jan. 1914 in Anspruch genommen werden. Vermöge der Rückwirkung bietet die BV. einem Anmelder, dessen Anmeldung vor ihrem Inkrafttreten infolge Versagung der beanspruchten Unionspriorität abgewiesen worden war, die Möglichkeit, die Anmeldung mit Erfolg zu wiederholen.

2. Durch die BV. ist die Verlängerung der Unionsprioritätsfristen mit Rücksicht auf den Kriegszustand ausschließlich geregelt. Die Wiedereinsetzung in den vorigen Stand wegen

---

*) **Durch Bundesrats-Verordnung vom 8. April 1916 (RGBl. 257, Blatt 1916 S. 50) gestrichen.**

Versäumung einer solchen Frist ist durch die BV. in Fortfall gekommen (s. BV. v. 10. Sept. 1914, Anm. II, 2 d). Ein Ausländer, dem die Vergünstigung der BV. nicht zukommt (s. Anm. 3), z. B. ein Schwede, kann also eine Heilung der Versäumung einer Prioritätsfrist nicht erlangen.

3. Für die Anwendung der BV. zugunsten von Angehörigen ausländischer Staaten ist lediglich maßgebend, ob eine entsprechende Bekanntmachung im Reichsgesetzblatt erlassen worden ist und bis zu welchem Zeitpunkt danach den deutschen Reichsangehörigen eine Verlängerung gewährt ist. Bis zu demselben Zeitpunkt steht auch den Angehörigen des betreffenden Auslandsstaates in Deutschland eine Verlängerung zu. Das PA. hat nicht zu prüfen, ob und inwieweit in dem Auslandsstaat die Prioritätsfristen zugunsten der deutschen Reichsangehörigen verlängert sind.

Eine Bekanntmachung im RGBl. ist erlassen für:

1. Brasilien, RGBl. 1915 S. 278, Blatt 1915 S. 142 (Verlängerung bis zu einem festzusetzenden Zeitpunkt),

2. Dänemark, RGBl. 1916 S. 1430, Blatt 1917 S. 2 (bis zum 1. Juli 1917),

3. Schweiz, RGBl. 1915 S. 447, Blatt 1915 S. 183 (wie zu 1),

4. Frankreich, RGBl. 1915 S. 411, Blatt 1915 S. 182 (wie zu 1),

5. die besetzten Gebiete Belgiens, RGBl. 1915 S. 511, Blatt 1915 S. 184 (bis auf weiteres).

6. Österreich, RGBl. 1916 S. 9, Blatt 1916 S. 2 (wie zu 1),

7. Ungarn, RGBl. 1916 S. 89, Blatt 1916 S. 19, (wie zu 1),

8. Spanien, RGBl. 1916 S. 524, Blatt 1916 S. 75 (wie zu 1),

9. Norwegen, RGBl. 1916 S. 949, Blatt 1916 S. 92 (bis 31. Dez. 1916, darüber hinaus Verlängerungen vorbehalten),

10. die Vereinigten Staaten von Mexiko, RGBl. 1917 S. 39, Blatt 1917 S. 2 (bis zum Ablauf von 6 Monaten nach Beendigung des Krieges).

c) bei Zahlungen.

1. Bundesrats-Verordnung, betreffend die Zahlung patentamtlicher Gebühren, vom 8. März 1917.

(RGBl. 1917 S. 222, Blatt 1917 S. 25).

Der Bundesrat hat auf Grund des § 3 des Gesetzes, betreffend die Ermächtigung des Bundesrats zu wirtschaftlichen Maßnahmen usw., vom 4. August 1914 (Reichs-Gesetzbl. S. 327) folgende Verordnung erlassen:

§ 1. Das Patentamt kann Bestimmungen darüber erlassen, welche Zahlungsformen bei der Zahlung der an das Patentamt zu entrichtenden Gebühren der Barzahlung gleichgestellt werden.

§ 2. Über die Rechtzeitigkeit der Zahlung einer Gebühr, die nach § 8 Abs. 2, 3 des Patentgesetzes vom 7. April 1891 (Reichs-Gesetzbl. S. 79) oder nach § 8 Abs. 1 des Gesetzes, betreffend den Schutz von Gebrauchsmustern, vom 1. Juni 1891 (Reichs-Gesetzbl. S. 290) zu entrichten ist, entscheidet ausschließlich das Patentamt.

§ 3. Diese Verordnung tritt mit dem Tage der Verkündung in Kraft. Der Reichskanzler bestimmt den Zeitpunkt des Außerkrafttretens.

Bemerkung: Verkündet am 10. März 1917.

2. Bestimmungen des Patentamts, betreffend die Zahlung patentamtlicher Gebühren, vom 12. März 1917.

(Reichsanzeiger Nr. 61 vom 12. März 1917, Blatt 1917 S. 26).

Auf Grund der Verordnung des Bundesrats, betreffend die Zahlung patentamtlicher Gebühren, vom 8. März 1917 (Reichs-Gesetzbl. S. 222) wird folgendes bestimmt.

Bei Zahlung einer an das Kaiserliche Patentamt zu entrichtenden Gebühr werden folgende Zahlungsformen der Barzahlung gleichgestellt:

1. Der Eingang eines Postschecks bei demjenigen Postscheckamt, bei welchem der Einzahler sein Konto hat, oder beim Patentamt zur Bewirkung der Gutschrift auf das Postscheckkonto des Patentamts,

2. der Eingang eines Bankschecks, Wechsels oder einer sonstigen Anweisung beim Patentamt, sofern die Einlösung innerhalb zehn Tage nach Eingang erfolgt,

3. der Eingang des Auftrags zur Gutschrift auf das Reichsbank-Girokonto der Kasse des Patentamts bei der Reichshauptbank oder einer Reichsbankanstalt.

1. Erleichterungen hinsichtlich der Zahlungsart.

Für patentamtliche Gebühren, an deren rechtzeitige Zahlung bestimmte Rechtswirkungen geknüpft sind, gilt (zufolge der Regel des § 9 PG.) nach der bisherigen Rechtslage der Grundsatz, daß die Zahlung rechtswirksam nur in barem Gelde geleistet werden kann, sei es bei der Kasse des PA., oder zur Überweisung an sie bei einer Postanstalt im Gebiete des deutschen Reichs. Hiernach konnte nach der Rechtsprechung des PA. bei Gebührenzahlung mittels Überweisung dem Eingang der Überweisungserklärung bei den PA. nicht die Bedeutung des Zahlungsakts beigemessen werden. Vielmehr mußte als Zahlungstag angesehen werden

a) bei Einzahlung durch Postscheck oder Post-Überweisung: der Tag, an dem der Postscheck oder die Überweisung dem Postscheckamt zugehen, bei dem der Einzahler sein Konto hat, vergl. Präs.Bescheid v. 7. April 1909 (Blatt 1909 S. 254),

b) bei Zahlung mittels Bankschecks, Wechsels oder sonstiger Anweisung: der Tag der Einlösung in bar oder der Gutschrift auf das Girokonto der Patentamtskasse, vergl. Bekanntmachung v. 12. März 1902 (Blatt 1902 S. 37), v. 14. Juni 1902 (Blatt 1902 S. 152) und v. 19. Aug. 1903 (Blatt 1903 S. 184, s. Lutter, PG., Guttentag'sche Sammlung S. 282).

c) bei Überweisung auf das Reichsbank-Girokonto der Patentamtskasse: der Tag der Gutschrift auf dieses Konto, vergl. Bekanntmachung v. 16. Mai 1899 (Blatt 1899 S. 126, s. Lutter, Pat.Ges. S. 274).

Da hiernach bei Benutzung der genannten Zahlungsmittel des modernen Verkehrs der Zeitpunkt, an dem die auf die Zahlung gerichtete Maßnahme des Zahlenden erfolgt, von dem des Zustandekommens der Zahlung verschieden ist, läuft der Zahlende Gefahr, daß die letztere nicht mehr so rechtzeitig stattfindet, daß die Zahlungsfrist gewahrt ist.

Hiergegen gewährt die BV. Abhilfe, indem sie dem PA. die Befugnis überträgt, Zahlungsformen des bargeldlosen Zahlungsverkehrs bei der Zahlung der patentamtlichen Gebühren der Barzahlung gleichzustellen. Dies ist geschehen durch die Bestimmung vom 12. März 1917 (S. 29).

Danach ist die Zahlung bewirkt:

a) bei Zahlung durch Postscheck nicht nur (wie bisher) mit Eingang des Schecks bei dem Postscheckamt, bei dem der Einzahler sein Konto hat, sondern auch mit dem Eingang des Schecks beim PA.

b) bei Zahlung mittels Bankschecks, Wechsels oder sonstiger Anweisung: mit Eingang des Schecks usw. beim PA.

In der Regel wird zu a) und b) der Scheck usw. bei der Kasse des PA. einzureichen sein, die Einreichung kann jedoch auch bei der Annahmestelle geschehen. Diese Möglichkeit kann für die Rechtzeitigkeit der Zahlung von Bedeutung werden, nämlich dann, wenn am letzten Tage der Zahlungsfrist die Kasse bereits geschlossen ist (1 Uhr), die Annahmestelle aber noch geöffnet ist (bis 4 Uhr).

c) bei Überweisung auf das Reichsbank-Girokonto der Kasse des PA.: mit Eingang des Auftrags zur Gutschrift bei der Reichshauptbank oder einer Reichsbankanstalt.

Es ist selbstverständlich, daß die Einsendung eines Schecks usw. nicht endgültig die Wirkung der Zahlung hat, sondern nur unter der Bedingung, daß eine ausreichende Deckung vorhanden ist. Ergibt sich, daß eine solche fehlt, so ist die Einsendung wirkungslos. Das Zahlungsgeschäft ist also zunächst noch in der Schwebe. Bei Zahlung mittels Bankschecks, Wechsels oder sonstiger Anweisung ist in dieser Hinsicht die zehntägige Frist des § 11 des Scheckgesetzes, v. 11. März 1908 RGBl. 1908 S. 71 maßgebend.

2. Entscheidung des PA. über die Rechtzeitigkeit. Nach der seitherigen Rechtslage ist die Rechtzeitigkeit der Zahlung der Jahres- und Verlängerungsgebühren des § 8 Abs. 2, 3 PG. und § 8 Abs. 1 GMG. der Nachprüfung der ordentlichen Gerichte unterworfen. Hielt das PA. einen Zahlungsakt für rechtswirksam und für rechtzeitig erfolgt, und behandelte es demgemäß ein Patent oder Gebrauchsmuster als bestehend, so war es den Gerichten unbenommen, das Schutzrecht als durch Versäumung der Zahlung erloschen anzusehen; und umgekehrt. Diese Rechtsunsicherheit wird jetzt dadurch beseitigt, daß das PA. über die Rechtzeitigkeit der Zahlung einer solchen Gebühr ausschließlich, also bindend für die Gerichte, entscheidet. Die Entscheidung kommt dadurch zum Ausdruck, daß das PA. das Patent oder Gebrauchsmuster in der Rolle bestehen läßt oder löscht. Der Rollenbestand ist also jetzt für die Beteiligten dafür maßgebend, ob das Schutzrecht wegen Versäumung der Gebührenzahlung erloschen ist oder nicht.

Für Warenzeichen bedurfte es einer solchen Regelung nicht, da hier die ausschließlich in der Hand des PA. liegende Eintragung und Löschung in der Rolle rechtsbegründende und rechtsvernichtende Bedeutung hat.

III. Abwehr und Vergeltung gegen das feindliche Ausland.

a) Bundesrats-Verordnung über gewerbliche Schutzrechte feindlicher Staatsangehöriger, vom 1. Juli 1915.

(RGBl. 1915 S. 414, Blatt 1915 S. 182).

Der Bundesrat hat auf Grund des § 3 des Gesetzes über die Ermächtigung des Bundesrats zu wirtschaftlichen Maßnahmen usw., vom 4. August 1914 (Reichs-Gesetzbl. S. 327) im Wege der Vergeltung folgende Verordnung erlassen:

§ 1. Patentrechte, Gebrauchsmusterrechte und Warenzeichenrechte können, soweit sie Angehörigen feindlicher Staaten zustehen, durch Anordnungen des Reichskanzlers im öffentlichen Interesse beschränkt und aufgehoben werden. Insbesondere können anderen Ausübungs- und Nutzungsrechte erteilt werden.

Den Anordnungen kann rückwirkende Geltung beigelegt werden. Sie können jederzeit geändert und zurückgenommen werden.

§ 2. Auf Anmeldungen von Angehörigen feindlicher Staaten werden Patente nicht erteilt, Gebrauchsmuster oder Warenzeichen nicht eingetragen. Im übrigen kann das Patentamt, soweit Angehörige feindlicher Staaten in Betracht kommen, Amtshandlungen, die ihm nach gesetzlichen Vorschriften obliegen, aussetzen und das Verfahren vorläufig einstellen; der Präsident des Patentamts kann Bestimmungen darüber erlassen.

§ 3. Die Anwendung dieser Verordnung wird nicht dadurch ausgeschlossen, daß die Rechte nach dem 31. Juli 1914 auf Angehörige anderer Staaten übertragen oder daß zur Verdeckung der Rechtsverhältnisse Angehörige anderer Staaten vorgeschoben sind.

§ 4. Den Angehörigen feindlicher Staaten stehen gleich die Angehörigen ihrer Kolonien und auswärtigen Besitzungen, Personen, die in den Gebieten dieser Staaten oder ihrer Kolonien und auswärtigen Besitzungen ihren Wohnsitz oder ihre Niederlassung haben, sowie juristische Personen, Gesellschaften und Unternehmungen, die in den bezeichneten Gebieten ihren Sitz haben oder von dort aus geleitet oder beaufsichtigt werden oder deren Erträgnisse ganz oder zum Teil dorthin abzuführen sind.

§ 5. Feindliche Staaten im Sinne dieser Verordnung sind England, Frankreich und Rußland.

§ 6. Die Wirkung von Patenten, die Angehörigen Rußlands zustehen, ist, unbeschadet der für Angehörige anderer als der feindlichen Staaten bestellten ausschließlichen Rechte zur Ausübung oder Nutzung, vom 11. März 1915 an als erloschen anzusehen. Rechte der bezeichneten Art sind bei dem Patentamt anzumelden und werden durch den Reichsanzeiger bekanntgemacht; die Wirkung des Rechtes erlischt, wenn es nicht spätestens am 30. September 1915 zur Kenntnis des Patentamts gebracht ist. Das Reich ist berechtigt, die für die Gewährung des Rechtes vereinbarte Gegenleistung zu fordern; die Zahlungen sind bei der Kasse des Patentamts zu leisten.

Die Wirkung der für Angehörige Rußlands bestellten Rechte zur Ausübung oder Nutzung von Patenten ist vom 11. März 1915 an als erloschen anzusehen.

Durch Patentanmeldungen, die nach dem 11. März 1915 bewirkt sind, können für Angehörige Rußlands keine Rechte begründet werden.

Diese Vorschriften (Abs. 1 bis 3) sind auf Gebrauchsmuster entsprechend anzuwenden.

§ 7. Der Reichskanzler erläßt die zur Ausführung dieser Verordnung erforderlichen Bestimmungen; er kann die im § 1 bezeichneten Befugnisse einer anderen Stelle übertragen.

Der Reichskanzler kann im Wege der Vergeltung diese Verordnung ganz oder teilweise auf die Angehörigen anderer als der im § 5 bezeichneten Staaten für anwendbar erklären.

§ 8. Diese Verordnung tritt mit dem Tage ihrer Verkündung in Kraft. Der Reichskanzler bestimmt, wann und inwieweit die Verordnung außer Kraft tritt.

a [1]) Bestimmungen des Reichskanzlers zur Ausführung der Verordnung über gewerbliche Schutzrechte feindlicher Staatsangehöriger, vom 2. Juli 1915.

(RGBl. 1915 S. 417, Blatt 1915 S. 183).

Auf Grund des § 7 der Verordnung über gewerbliche Schutzrechte feindlicher Staatsangehöriger vom 1. Juli 1915 (Reichs-Gesetzbl. S. 414/15) bestimme ich:

Zu § 1 der Verordnung.

1. Zuständig für die Anordnungen ist der für gewerbliche Schutzrechte bestellte Reichskommissar.

2. Die Anordnungen werden nur auf Antrag getroffen. Der Antrag ist schriftlich an den Präsidenten des Patentamts zu richten. Die Angaben, mit denen der Antrag begründet wird, sind glaubhaft zu machen. Zugleich ist bei der Kasse des Patentamts für jedes Schutzrecht, auf das sich der Antrag bezieht, eine Gebühr von 50 M. zu zahlen.

3. Der Präsident des Patentamts trifft die erforderlichen Verfügungen, um den Sachverhalt aufzuklären. Er kann den Antrag in geeigneter Weise bekanntmachen und die Beteiligten zur Anhörung laden. Die entstandenen Verhandlungen legt er mit seinem Gutachten dem Reichskommissar vor.

4. Der Reichskommissar kann bei der Vorbereitung und der Durchführung seiner Anordnungen Zeugen und Sachverständige eidlich vernehmen, die Hilfe der Verwaltungsbehörden in Anspruch nehmen und das Patentamt sowie die Gerichte um Rechtshilfe ersuchen. Er kann den Betrag der Geldleistungen, die auf Grund seiner Anordnungen zugunsten des Reichs fällig geworden sind,

festsetzen. Die festgesetzten Beträge sind als öffentliche Abgaben anzusehen und können nach den am Orte des Wohnsitzes oder Sitzes des Verpflichteten geltenden landesrechtlichen Vorschriften zwangsweise beigetrieben werden.

5. Zeugen und Sachverständige erhalten Gebühren nach Maßgabe der Gebührenordnung vom 30. Juni 1878 (Reichs-Gesetzbl. 1878 S. 173, 1914 S. 214). Die dadurch entstehenden Kosten fallen dem Antragsteller zur Last.

6. Die für Zwecke des Heeres oder der Flotte erforderlichen Anordnungen können von der obersten Heeres- oder Flottenbehörde unmittelbar bei dem Reichskommissar angeregt werden.

Zu § 6 der Verordnung.

7. Die Einsicht der Urkunden, auf Grund deren die Bekanntmachungen von dem Patentamt erlassen sind, steht jedermann frei.

8. Das Reich wird in bezug auf das ihm zustehende Forderungsrecht durch den Präsidenten des Patentamts vertreten.

a [2]) Bekanntmachung, betreffend gewerbliche Schutzrechte von Angehörigen Portugals, vom 23. Juni 1916.

(RGBl. 1916 S. 575, Blatt 1916 S. 91).

Im Wege der Vergeltung wird auf Grund des § 7 Abs. 2 der Verordnung des Bundesrats über gewerbliche Schutzrechte feindlicher Staatsangehöriger vom 1. Juli 1915 (Reichs-Gesetzbl. S. 414) folgendes bestimmt:

Art. 1. Die Vorschriften der §§ 1 bis 4 der Verordnung über gewerbliche Schutzrechte feindlicher Staatsangehöriger vom 1. Juli 1915 werden auf die Angehörigen Portugals für anwendbar erklärt.

Art. 2. Diese Bekanntmachung tritt mit dem Tage der Verkündung in Kraft.

Bemerkung: Verkündet am 26. Juni 1916.

a [3]) Bekanntmachung, betreffend gewerbliche Schutzrechte von Angehörigen Italiens, vom 9. Januar 1917.

(RGBl. 1917 S. 29, Blatt 1917 S. 27).

Im Wege der Vergeltung wird auf Grund des § 7 Abs. 2 der Verordnung des Bundesrats über gewerbliche Schutzrechte feindlicher Staatsangehöriger vom 1. Juli 1915 (Reichs-Gesetzbl. S. 414) folgendes bestimmt:

Art. 1. Die Vorschriften der §§ 2 bis 4 der Verordnung über gewerbliche Schutzrechte feindlicher Staatsangehöriger vom 1. Juli 1915 werden auf die Angehörigen Italiens für anwendbar erklärt.

Art. 2. Diese Bestimmung tritt mit dem Tage der Verkündung in Kraft.

Bemerkung: Verkündet am 10. Januar 1917.

1. Allgemeines. Die Vorschriften der BV. dienen der Vergeltung für die zuungunsten der Angehörigen des Deutschen Reichs in den feindlichen Staaten erlassenen Maßnahmen. S. englisches Ges. v. 7. Aug. 1914 (Blatt 1914 S. 291) nebst Verordnungen und Bekanntmachungen dazu, insbesondere auch Bek. v. 1. Juni 1915 (Blatt 1915 S. 198), russisches Ges. v. 21. Febr. 1915/6. März 1915 (Blatt 1915 S. 119), französisches Ges. v. 27. Mai 1915 (Blatt 1915 S. 166). Die schärfsten Maßnahmen enthält das russische Gesetz, das am 11. März 1915 veröffentlicht und in Kraft getreten ist, demgemäß geht auch die Vergeltung gegen die Angehörigen Rußlands am weitesten und nimmt den angegebenen Tag als Ausgangspunkt (§ 6).

2. Feinde Die Vergeltung richtet sich gemäß §§ 5, 7 Abs 2 BV. nur gegen die Angehörigen bestimmter feindlicher Staaten und die ihnen im § 4 BV Gleichgestellten Dies sind: England, Frankreich, Rußland sowie Portugal (Bekanntm. des Reichskanzlers v. 23. Juni 1916, RGBl. 1916 S. 575, Blatt 1916 S. 91) und Italien (Bek. des Reichskanzlers v. 9. Jan. 1917, RGBl. 1917 S. 29, Blatt 1917 S. 2). Auf Angehörige Italiens ist die Bestimmung des § 1 BV. nicht ausgedehnt. Auch die Bewohner der besetzten Gebiete Frankreichs und Rußlands sind Angehörige feindlicher Staaten. Vergl. jedoch die Bek. des Reichskanzlers v. 25. Jan. 1917 bezüglich der Polen (S. 39).

Den Angehörigen der feindlichen Staaten stehen die im § 4 Genannten gleich. Dies trifft unter Umständen auch Deutsche. Die BV. will alle Formen ergreifen, in denen aus den in Deutschland erlangten Schutzrechten Vorteile zum Nutzen feindlichen Kapitals gezogen werden.

3. Beschränkung und Aufhebung von Rechten der Feinde (§ 1). Die Beschränkung oder gänzliche Aufhebung eines bestimmten einzelnen Patent-, Gebrauchsmuster- oder Warenzeichen-Rechts kann im öffentlichen Interesse erfolgen. Ein Recht des Inhabers des Schutzrechts auf Entschädigung besteht nicht. Die Beschränkung erfolgt regelmäßig durch Erteilung einer Lizenz zur Ausnutzung des Schutzrechts. Unter den diesen Maßnahmen unterliegenden Patentrechten ist nicht nur das Recht aus einem erteilten Patent, sondern auch das durch Lizenzvertrag begründete Recht zur Ausübung oder Nutzung der patentierten Erfindung sowie der durch die Bekanntmachung einer Patentanmeldung begründete einstweilige Schutz (§ 23 Abs. 1 PG.) zu verstehen. Gegenstand einer solchen Maßnahme ist auch der einem Feinde an einem Schutzrecht zustehende Anteil (vergl. „soweit sie Angehörigen feindlicher Staaten zustehen", § 1 BV.).

Die Anordnungen können in jeder zweckdienlich erscheinenden Weise getroffen werden. Durch Beilegung rückwirkender Kraft (für die eine Zeitgrenze nicht gesetzt ist) kann die in Fällen der Notlage bereits geschehene — damals widerrechtliche — Benutzung des Schutzrechts eines Feindes nachträglich zu einer rechtmäßigen gemacht werden.

Eine Beschränkung oder Aufhebung gemäß § 1 kann gegenüber einem Italiener nicht stattfinden (s. Anm. 2).

Ausführungsbestimmungen hat der Reichskanzler auf Grund des § 7 Abs. 1 unter dem 2. Juli 1915 erlassen (s. S. 34); die Befugnisse zur Beschränkung und Aufhebung von Schutzrechten hat er dem für gewerbliche Schutzrechte bestellten Reichskommissar übertragen.

4. Aussetzung von Amtshandlungen gegenüber den Feinden (§ 2). Es muß ausgesetzt werden die Erteilung von Patenten und die Eintragung von Gebrauchsmustern und Warenzeichen für Feinde. Die Begründung des einstweiligen Schutzes durch Bekanntmachung der Patentanmeldung für einen Feind (§ 23 Abs. 1 PG.) ist nicht verboten.

Die Anmeldung eines Patents, Gebrauchsmusters oder Warenzeichens begründet nach wie vor die gesetzlichen Wirkungen. Auch das Prüfungsverfahren folgt den gesetzlichen Regeln. Nur die Begründung des Schutzrechts unterbleibt.

Im übrigen kann das Patentamt seine regelmäßige Tätigkeit gegenüber feindlichen Ausländern versagen (z. B. die Benachrichtigung des feindlichen Inhabers eines älteren Warenzeichens, § 5 WZG., die Löschung eines erloschenen Patents usw.). Von der Befugnis, darüber allgemeine Bestimmungen zu erlassen, hat der Präsident des Patentamts bisher nicht Gebrauch gemacht.

5. Besondere Vergeltung gegen Russen (§ 6). Für Russen sind in erster Linie die Vorschriften des § 6 maßgebend; darüber hinaus greifen aber auch die Vorschriften der §§ 1 u. 2 Platz (z. B. für Warenzeichen).

Die Vergeltung nach § 6 erstreckt sich nur auf Patente und Gebrauchsmuster und auf Anmeldungen von solchen.

Sie findet statt a) durch Aufhebung bestehender Rechte, b) durch Verweigerung neuer Rechte.

a) Sämtliche Patente und Gebrauchsmuster von Russen verlieren ohne weiteres, kraft Gesetzes vom 11. März 1915 an ihre Wirkung. Dies gilt auch für den durch die Bekanntmachung der Patentanmeldung begründeten einstweiligen Schutz (§ 23 Abs. 1 PG.). Die Patente und Gebrauchsmuster bleiben an sich bestehen. Daraus folgt: die Jahres- und Verlängerungsgebühren müssen rechtzeitig bezahlt werden, sonst tritt Erlöschen gemäß PG. und GMG. ein; die Schutzrechte können veräußert werden und es kann demgemäß die Umschreibung auf den Erwerber stattfinden (vergl. indessen § 3, Anm. 6); die Patente unterliegen der Nichtigkeitserklärung und der Zurücknahme nach Maßgabe des PG. (§§ 10 und 11). Zum Erlöschen kommt nur die Wirkung, d. h. das durch § 4 PG. und § 4 GMG. gegebene Recht der ausschließlichen Benutzung. Die Erfindung fällt ins Freie; jedermann darf sie benutzen.

Aus dem Untergang des ausschließlichen Benutzungsrechts ergibt sich auch der Fortfall eines von dem Patent- oder Gebrauchsmusterrecht abgeleiteten Nutzungsrechts. Eine Ausnahme ist zugunsten einer für einen Nicht-Feind begründeten ausschließlichen Lizenz gemacht: ist ein solches Recht bis zum 30. Sept. 1915 dem Patentamt angezeigt worden, so ist es trotz Entkräftung des Hauptrechts aufrecht erhalten geblieben und kann nach Maßgabe des PG. und GMG. (z. B. durch Unterlassungs- oder Entschädigungsklage) gegen unbefugte Benutzer zur Geltung gebracht werden. Mangels Anzeige bis zum 30. Sept. 1915 ist auch die ausschließliche Lizenz hinfällig geworden.

Ebenso wie die Patente und Gebrauchsmuster verlieren auch Lizenzen, die Russen an deutschen Patenten oder Gebrauchsmustern zustehen, ihre Wirkung, gleichviel welcher Staatsangehörigkeit die Inhaber der Patente oder Gebrauchsmuster sind.

b) Eine nach dem 11. März 1915 bewirkte Patent- und Gebrauchsmuster-Anmeldung eines Russen begründet keine Rechte. Die Anmeldung unterliegt der Abweisung. Eine Übertragung auf einen anderen ist ausgeschlossen, da ein übertragbares Recht nicht vorhanden ist. Die vor dem 11. März 1915 eingegangenen Anmeldungen von Russen sind wie die Anmeldungen der anderen Feinde zu behandeln (s. Anm. 4).

Siehe Außerkraftsetzung der BV. zugunsten der Polen durch Bek. des Reichskanzlers vom 25. Jan. 1917 (s. unten).

6. Verhütung der Umgehung. Um Umgehungen zu verhüten, ist bestimmt, daß eine nach dem Kriegsausbruch stattgehabte Übertragung auf einen Nicht-Feind oder die Vorschiebung eines nichtfeindlichen Strohmanns die Anwendung der BV. nicht ausschließt.

a [4]) Bekanntmachung des Reichskanzlers, betreffend die Verordnung über gewerbliche Schutzrechte feindlicher Staatsangehöriger, vom 25. Januar 1917.

(RGBl. 1917 S. 73, Blatt 1917 S. 3).

Auf Grund des § 8 der Verordnung über gewerbliche Schutzrechte feindlicher Staatsangehöriger vom 1. Juli 1915 (Reichs-Gesetzbl. S. 414) wird die genannte Verordnung, soweit sie Rußland und die Angehörigen Rußlands betrifft, in Ansehung der gegenwärtigen Gebiete des Generalgouvernements Warschau und des k. u. k. Militär-Generalgouvernements in Lublin mit Wirkung vom Tage der Verkündung dieser Bekanntmachung außer Kraft gesetzt, jedoch mit dem Vorbehalte, daß

1. wer in der Zeit zwischen dem 11. März 1915 und dem genannten Tage im Inland den Gegenstand eines damals unwirksamen Rechtes (§ 6 a. a. O.) benutzt oder die zur Benutzung erforderlichen Veranstaltungen getroffen hat, befugt bleibt, ihn für die Bedürfnisse des eigenen Betriebs auszunutzen;
2. die in der bezeichneten Zeit für Angehörige anderer als der feindlichen Staaten (§ 5 a. a. O.) begründeten Rechte unberührt bleiben.

Bemerkung: Verkündet am 26. Januar 1917.

Anm. Nach § 8 BV. v. 1. Juli 1915 bestimmt der Reichskanzler wann und inwieweit die BV. außer Kraft tritt. Hiervon hat der Reichskanzler in der Bek. v. 25. Jan. 1917 zugunsten der Polen Gebrauch gemacht. Gegen sie kommen danach die Vergeltungsmaßnahmen der BV v. 1. Juli 1915 nicht mehr zur Anwendung. Die Patente und Gebrauchsmuster äußern von jetzt an wieder ihre Wirkung, Anmeldungen, die jetzt eingereicht werden, begründen die gesetzlichen Rechte und führen gemäß PG. und GMG. zur Erteilung des Patents und Gebrauchsmusters.

Die Maßnahme der Bek. v. 25. Jan. 1917 ist nur eine teilweise Außerkraftsetzung der Vergeltungsverordnung mit Wirkung für die Zukunft. Eine Rückwirkung kommt nicht in Frage. Hieraus folgt, daß die Rechtslage, wie sie sich zuungunsten der Polen in der Zeit vom 11. März 1915 bis zum 26. Jan. 1917 ergeben hatte, unberührt bleibt. Eine Anmeldung, die in dieser Zeit eingegangen ist, bleibt also rechtsunwirksam, sie kann nicht zur Begründung eines Schutzes führen und ist nach wie vor abzuweisen. Eine in dieser Zeit durch einen anderen geschehene Benutzung des Patents oder Gebrauchsmusters eines Polen verliert nicht den Charakter der rechtmäßigen Benutzung. Sie dürfte aber vom 26. Jan. 1917 an nicht fortgesetzt werden, da von jetzt an das Patent- und Gebrauchsmuster-Recht wieder seine Wirkung entfaltet. Hier greift der Vorbehalt der Nr. 1 der Bekanntmachung ein: Der Benutzer bleibt zur Benutzung weiterhin befugt. Auch die in der Zeit vom 11. März 1915 bis 26. Jan. 1917 begründeten Rechte von Nicht-Feinden bleiben unberührt (Vorbehalt Nr. 2 der Bek.). Hat also ein Nicht-Feind z. B. auf den Gegenstand des Patents eines Polen Gebrauchsmusterschutz erlangt, so kann nach dem 26. Jan. 1917 der Pole ihm gegenüber sein Verbietungsrecht (§ 5 Abs. 1 GMG.) nicht geltend machen.

b) Bundesrats-Verordnung über den Ausschluß der Oeffentlichkeit für Patente und Gebrauchsmuster, vom 8. Februar 1917.

(RGBl. 1917 S. 121, Blatt 1917 S. 13).

Der Bundesrat hat auf Grund des § 3 des Gesetzes über die Ermächtigung des Bundesrats zu wirtschaftlichen Maßnahmen usw. vom 4. August 1914 (Reichs-Gesetzbl. S. 327) folgende Verordnung erlassen:

§ 1. Die Erteilung eines Patents findet ohne jede Bekanntmachung statt, wenn das Patentamt nach Anhörung der Heeres- und der Marineverwaltung die Geheimhaltung der Erfindung im

Interesse der Landesverteidigung oder der Kriegswirtschaft für erforderlich erachtet.

Entsprechendes gilt für die Eintragung eines Gebrauchsmusters.

Das Patent wird in einem besonderen Band der Patentrolle, das Gebrauchsmuster in einen besonderen Band der Gebrauchsmusterrolle eingetragen (Kriegsrolle). Der Inhalt der Kriegsrolle wird nicht veröffentlicht. Die Einsicht der Kriegsrolle sowie der Anmeldestücke, auf Grund deren das Patent erteilt oder das Gebrauchsmuster eingetragen wurde, ist, vorbehaltlich der Vorschriften des § 2, nicht gestattet.

§ 2. Der Heeres- und der Marineverwaltung steht die Einsicht der Kriegsrolle sowie der Akten über die Anmeldung von Erfindungen und Gebrauchsmustern, welche die Interessen der Landesverteidigung oder der Kriegswirtschaft berühren, frei.

Anderen kann die Einsicht der Kriegsrolle sowie der Akten über die gemäß § 1 erteilten Patente und eingetragenen Gebrauchsmuster auf Antrag mit Zustimmung der Heeres- und der Marineverwaltung von dem Patentamt gestattet werden.

§ 3. Erachtet das Patentamt nach Anhörung der Heeres- und der Marineverwaltung die Geheimhaltung des Patents oder des Gebrauchsmusters nicht mehr für erforderlich, so richtet sich das weitere Verfahren nach den allgemeinen gesetzlichen Vorschriften.

§ 4. Wer unbefugt die Einsicht in die Kriegsrolle oder in die Anmeldestücke, auf Grund deren gemäß § 1 ein Patent erteilt oder ein Gebrauchsmuster eingetragen ist, sich oder einem andern verschafft oder von ihrem Inhalt einem andern Kenntnis gibt, wird mit Gefängnis bis zu einem Jahre und mit Geldstrafe bis zu fünftausend Mark oder mit einer dieser Strafen bestraft.

Der Versuch ist strafbar.

§ 5. Diese Verordnung tritt mit dem Tage der Verkündung in Kraft. Der Reichskanzler bestimmt den Zeitpunkt des Außerkrafttretens.

Bemerkung: Verkündet am 9. Februar 1917.

1. Allgemeines. Im Interesse der Sicherheit des Deutschen Reiches mußte das Patentamt verhüten, daß militärisch und kriegswirtschaftlich wichtige Erfindungen zur Kenntnis der Allgemeinheit und damit möglicherweise zur Kenntnis des feindlichen Auslandes gelangten. Das Patentamt hat daher bezüglich derartiger Erfindungen alle vom PG. und GMG. vorgeschriebenen Akte der Veröffentlichung einstweilen unterlassen. Insbesondere wurde die Bekanntmachung der Patentanmeldung (§ 23 PG.) und die von der Veröffentlichung untrennbare Eintragung des Gebrauchsmusters in die Rolle (§ 3 GMG.) bis auf weiteres ausgesetzt. Da die Bekanntmachung den einstweiligen Schutz begründet (§ 23 PG.) und ohne sie ein Patent nicht erteilt werden kann und da der Gebrauchsmusterschutz mit der Eintragung in die Rolle entsteht, so hatte die Aussetzung zur Folge, daß die davon betroffenen Erfindungen auf unbestimmte Zeit schutzlos blieben. Dagegen gewährt die BV. Abhilfe, indem sie die Möglichkeit der Begründung eines Schutzes ohne Veröffentlichung schafft.

2. Erforderlichkeit der Geheimhaltung. Voraussetzung für die Erteilung eines Kriegspatents und die Eintragung eines Kriegsgebrauchsmusters ist, daß das PA. die Geheimhaltung für erforderlich erachtet. Ist dies nicht der Fall, so kann der Anmelder seinerseits die Anwendung der BV. auf seine Anmeldung nicht beanspruchen. Ebenso ist die spätere Freigabe (§ 3) von dem Ermessen des PA. abhängig. Das PA. muß vor seiner Entschließung die Heeres- und die Marine-Verwaltung hören.

3. Verfahren. Die Erteilung des Kriegspatents erfolgt ohne jede Bekanntmachung (vgl. § 23 Abs. 5 PG.), d. h. es unterbleibt sowohl die Bekanntmachung der Anmeldung gemäß § 23 Abs. 1 PG., als auch die Veröffentlichung der Patenterteilung gemäß § 19 Abs. 1, 4 PG. Der Fortfall der Bekanntmachung der Anmeldung hat den des Einspruchsverfahrens zur Folge. § 24 PG. Im übrigen bleibt das Patenterteilungsverfahren unverändert. Die Anmeldung wird, wie üblich, geprüft. Erweist sich die Erfindung als patentfähig, erachtet aber das PA. die Geheimhaltung für erforderlich, so wird die Bekanntmachung beschlossen, aber ausgesetzt und dem Anmelder anheimgestellt, die Erteilung eines Kriegspatents zu beantragen. Ohne Antrag des Anmelders erfolgt diese nicht! Die Erteilung hat zur Voraussetzung, daß der Anmelder zuvor die erste Jahresgebühr (§ 8 Abs. 1 PG.) zahlt. Eine Frist hierfür (vergl. § 24 Abs. 1 PG.) läuft nicht. Will der Anmelder kein Kriegspatent, so bleibt es bei der Aussetzung der Bekanntmachung

bis zum Fortfall der Erforderlichkeit der Geheimhaltung. Alsdann greifen die Vorschriften des PG. in der üblichen Weise Platz, d. h. die Bekanntmachung erfolgt gemäß § 23 PG. usw.

Auch die Eintragung eines Kriegs-Gebrauchsmusters erfolgt nur auf Antrag. Hält das PA. die Geheimhaltung eines angemeldeten Gebrauchsmusters für erforderlich, so wird die Eintragung in die Rolle ausgesetzt, aber dem Anmelder anheimgegeben, die Eintragung eines Kriegsgebrauchsmusters zu beantragen. Stellt er den Antrag nicht, so bleibt es bei der Aussetzung der Eintragung. Diese erfolgt dann später, nach Fortfall der Geheimhaltungspflicht in der üblichen Weise.

Nach der Erteilung des Kriegspatents wird die Patenturkunde (§ 27 PG.), nach der Eintragung des Kriegsgebrauchsmusters die Bescheinigung über die Eintragung (§ 23 der Ausführungsverordnung zum Patentgesetz usw. v. 11. Juli 1891, RGBl. S. 349) ausgefertigt, in einer Fassung, die den Bestimmungen der BV. Rechnung trägt.

3. Kriegsrolle. Es werden besondere Rollenbände geführt. In die Patentkriegsrolle werden nicht nur die ohne Bekanntmachung (§ 23 PG.) erteilten Patente, sondern auch diejenigen eingetragen, deren Anmeldung schon früher bekannt gemacht war, deren Veröffentlichung aber gemäß der BV. unterbleibt. Für den Inhalt der Kriegsrolle, Eintragungen, Umschreibungen, Löschungen und deren rechtliche Bedeutung gelten dieselben Vorschriften, wie für den der gewöhnlichen Rolle. Der Inhalt der Kriegsrolle wird aber nicht veröffentlicht. Demgemäß fällt auch das Recht der Einsichtnahme für jedermann (§ 19 Abs 3 PG, § 3 Abs. 5 GMG.) fort; vergl. aber § 2 BV.

4. Ausschluß der Öffentlichkeit. Die Kriegspatente und Kriegsgebrauchsmuster werden in jeder Hinsicht streng geheim gehalten. Alle Maßnahmen der Bekanntgabe, die das PG. und das GMG. vorsehen, unterbleiben. Es fällt also fort: 1. die Bekanntmachung im Reichsanzeiger gemäß § 19 Abs. 1 PG.; § 3 Abs. 3, § 8 Abs. 3 GMG.; 2. die Veröffentlichung der Patentschrift, § 19 Abs. 4 PG.; 3. die — nach § 19 Abs. 3 PG., § 3 Abs. 5 GMG. jedermann kraft Gesetzes freistehende — Einsicht der Kriegsrolle und der Anmeldestücke, auf Grund deren das Patent erteilt, das Gebrauchsmuster eingetragen worden ist; 4. Anträgen auf Einsicht oder Abschrift von Akten (§ 29 Ausführ.Verord. z. PG. v. 11. Juli 1891) darf nicht stattgegeben werden.

Der Ausschluß der Öffentlichkeit ist auch zu erstrecken auf die Akten einer schwebenden Anmeldung über einen Gegenstand, dessen Geheimhaltung im Interesse der Landesverteidigung oder der Kriegswirtschaft von dem Patentamt für erforderlich erachtet wird.

Eine Bekanntgabe durch Gewährung von Einsicht oder Abschrift darf auch bei Zustimmung des Anmelders oder Patent- oder Gebrauchsmuster-Inhabers nicht stattfinden, da dieser seinerseits zu einer Kenntnisgabe an andere nicht befugt ist. S. § 4 BV., vergl. auch Ges. gegen den Verrat militärischer Geheimnisse vom 3. Juni 1914 (RGBl. S. 195).

Die Vorschriften der BV. stehen einer Bekanntgabe an andere nicht entgegen, wenn die *Heeres- und die Marine-Verwaltung ihre Zustimmung* dazu gibt. Diese hat auch der Inhaber eines Kriegspatents oder Kriegsgebrauchsmusters einzuholen, wenn er mit der Erfindung anderen gegenüber hervortreten will (zur Verfolgung von Verletzungen, Lizenzverhandlungen usw.). *Eine Mitteilung über das Schutzrecht ohne solche Genehmigung ist verboten und strafbar*, § 4 BV.; Ges. gegen den Verrat militär. Geheimnisse v. 3. Juni 1914 (RGBl. S 195), s. Mitteilung des Kriegsministeriums und des Reichs-Marineamts (S. 45).

5. *Einsichtsrecht der Heeres- und der Marine-Verwaltung.* Der Grundsatz, daß von den Akten schwebender Anmeldungen vor der Bekanntmachung der Patentanmeldung (§ 23 PG.) und vor der Eintragung des Gebrauchsmusters (§ 3 GMG.) ohne Zustimmung des Anmelders niemand Kenntnis erhält, ist zugunsten der Heeres- und der Marine-Verwaltung durchbrochen worden, um diese zur Sicherung der Landesverteidigung und der Kriegswirtschaft in den Stand zu setzen, sich über alle Neuerungen auf diesem Gebiet möglichst frühzeitig zu unterrichten. Die Heeres- und die Marine-Verwaltung haben demgemäß das Recht erhalten, in jedem Stadium des Verfahrens Einsicht in die Akten zu nehmen (§ 2 Abs. 1 BV.).

6. *Strafbestimmung.* Für die Befugnis zur Einsichtverschaffung oder Kenntnisgabe ist nicht das Recht zur Verfügung über die Erfindung, sondern das Recht zur Verfügung über das Geheimnis maßgebend. Auch der Erfinder unterliegt daher bezüglich des Gegenstandes seines Kriegspatents oder Kriegsgebrauchsmusters der Strafvorschrift. „Unbefugt" ist diejenige Handlung nicht, die mit Genehmigung der Heeres- und der Marine-Verwaltung vorgenommen wird. Vergl. Entsch. des RG. i. Strafs. Bd. 28 S. 266 ff.

b [1]) Mitteilung des Kriegsministeriums und des Reichs-Marine-amts an die Anmelder von Patenten und Gebrauchsmustern, vom 13. März 1917.

Im vaterländischen Interesse muß unbedingt verhütet werden, daß Erfindungen, deren Geheimhaltung im Interesse der Landesverteidigung oder der Kriegswirtschaft als erforderlich erachtet wird, zur Kenntnis unserer Feinde gelangen. Es wird den Beteiligten deshalb in ihrem eigenen Interesse dringend angeraten, solche Erfindungen weder durch Veräußerung noch durch Anmeldung oder sonstige Mitteilung zur Kenntnis des feindlichen oder neutralen Auslandes zu bringen. Sind den Beteiligten auf solche Erfindungen im Auslande bereits Schutzrechte erteilt, so wird von der Ausführung Abstand genommen werden müssen und auch die Ausführung durch andere tunlichst zu verhindern sein. Soweit im einzelnen Falle Zweifel bestehen, ob die Geheimhaltung einer Erfindung geboten ist, ist die Nachprüfungsstelle der Heeres- und Marineverwaltung für gewerblichen Rechtsschutz, Berlin SW. 61, Gitschinerstr. 97/103, bereit, Auskunft zu erteilen.

Im ürigen wird auf die Strafvorschriften in § 1 des Gesetzes vom 3. Juni 1914 (Reichs-Gesetzbl. S. 195), des § 89 des RStrGB. und des § 4 der Verordnung des Bundesrats vom 8. Februar 1917 (Reichs-Gesetzbl. S. 121) hingewiesen. Nach § 1 des Gesetzes vom 3. Juni 1914 wird, wer vorsätzlich Schriften, Zeichnungen oder andere Gegenstände, deren Geheimhaltung im Interesse der Landesverteidigung erforderlich ist, in den Besitz oder zur Kenntnis eines anderen gelangen läßt und dadurch die Sicherheit des Reiches gefährdet, mit Zuchthaus nicht unter 2 Jahren, bei mildernden Umständen mit Gefängnis nicht unter einem Jahre bestraft. Nach § 89 RStrGB. wird jeder Deutsche, der vorsätzlich während eines gegen das Deutsche Reich ausgebrochenen Krieges einer feindlichen Macht Vorschub leistet oder der Kriegsmacht des Deutschen Reiches oder der Bundesgenossen desselben Nachteil zufügt, wegen Landesverrats mit Zuchthaus bis zu 10 Jahren oder mit Festungshaft von gleicher Dauer bestraft. Nach § 4 der Verordnung des Bundesrats vom 8. Februar 1917 wird, wer unbefugt die Einsicht in die Kriegsrolle oder in die Anmeldestücke, auf Grund deren ein Patent erteilt oder ein Gebrauchsmuster eingetragen ist, sich oder einem anderen verschafft oder von ihrem Inhalt einem anderen Kenntnis gibt, mit Gefängnis bis zu einem Jahre und mit Geldstrafe bis zu 5000 Mark oder mit einer dieser Strafen bestraft. Der Versuch ist strafbar.

b [2]) Mitteilung über die Nachprüfungsstelle der Heeres- und Marineverwaltung für gewerblichen Rechtsschutz.

(Blatt 1916 S. 47/48).

1. Im Dienstgebäude des Kaiserlichen Patentamts ist von der Heeres- und Marineverwaltung eine Nachprüfungsstelle für den Auslandsschriftverkehr in Sachen des gewerblichen Rechtsschutzes errichtet worden. Die Nachprüfungsstelle hat über die Zulässigkeit des auf dem Gebiete des gewerblichen Rechtsschutzes liegenden Schriftverkehrs nach dem Auslande zu entscheiden. Ihre Entscheidung kann von dem Absender in der Regel erst dann angerufen werden, wenn die Weiterleitung einer Sendung von einer Postüberwachungsstelle beanstandet worden ist. Zugelassen ist jedoch, daß Sendungen, die eine militär-technische oder patentrechtliche Prüfung erfordern, unmittelbar der Nachprüfungsstelle vorgelegt werden können. Ausdrücklich wird ferner darauf hingewiesen, daß Sendungen geschäftlichen Inhalts stets unmittelbar zur Post zu geben sind; hierher gehören z. B. Empfangsbestätigungen, Erinnerungen an die Fälligkeit von Patentgebühren und den Ablauf von Fristen, Aufträge zur Einzahlung von Patentgebühren, Bestellungen auf ausländische Patentschriften, Rechnungen, Quittungen und dergl.

Dem Verfahren des Absatz 1 unterliegen auch die nicht amtlichen Auslandssendungen von Patentschriften und der vom Patentamt herausgegebenen Auszüge aus den Patentschriften. Über die Zulässigkeit des Auslandsversandes sonstiger Druckschriften (Fachzeitschriften, Lehrbücher, Tageszeitungen usw.) entscheiden, wie bisher, die zuständigen Zensurstellen. Auskunft erteilt das Königlich Preußische Kriegsministerium.

2. Die Geschäftsstelle der Nachprüfungsstelle befindet sich im Dienstgebäude des Kaiserlichen Patentamts (Zimmer 67/I.); sie ist werktäglich von 12 bis 3 Uhr geöffnet. Der Leiter der Stelle ist Mittwoch und Sonnabend von 10½ bis 1½ Uhr zu sprechen (Zimmer 69/I.). Die militär-technische Prüfung findet in der Regel Montags und Donnerstags jeder Woche statt.

3. Zu jeder zur Nachprüfung eingereichten Sendung sind die etwa früher in der Sache ergangenen behördlichen Entscheidungen, insbesondere auch die der Postüberwachungsstelle vorzulegen. Auch empfiehlt es sich, bei Einreichung der Sendungen das Aktenzeichen der etwa entsprechenden deutschen Anmeldung anzugeben.

Ist die Sendung in einer anderen als der deutschen, englischen oder französischen Sprache abgefaßt, so ist ihr, sofern nicht der Anmelder den deutschen Wortlaut durch eine Bezugnahme auf die Akten der entsprechenden deutschen Anmeldung nachweisen kann, eine deutsche Übersetzung beizufügen, deren Beglaubigung gegebenenfalls von der Nachprüfungsstelle verlangt werden kann.

Die mit der Post an die Nachprüfungsstelle gesandten Sendungen sind porto- und bestellgeldfrei zu bewirken. Die Anschrift kann kurz lauten: Nachprüfungsstelle Berlin SW 61, Gitschiner Str. 97/103, die Drahtanschrift: Nachprüfungsstelle Berlin.

4. Die für zulässig erachteten Sendungen werden von der Nachprüfungsstelle mit einem entsprechenden Vermerk versehen und, soweit sie postfertig sind, von der Nachprüfungsstelle unmittelbar zur Post gegeben. Die Nachprüfungsstelle übernimmt jedoch keinerlei Gewähr für die rechtzeitige und vollständige Beförderung einer Sendung.

c) Zahlungsverbote.

1. Bundesrats-Verordnung, betreffend Zahlungsverbot gegen England, vom 30. September 1914.

(RGBl. 1914 S. 421, Blatt 1914 S. 314).

Der Bundesrat hat auf Grund des § 3 des Gesetzes über die Ermächtigung des Bundesrats zu wirtschaftlichen Maßnahmen usw. vom 4. August 1914 (Reichs-Gesetzbl. S. 327) im Wege der Vergeltung folgende Verordnung erlassen:

§ 1. Es ist bis auf weiteres verboten, Zahlungen nach Großbritannien und Irland oder den britischen Kolonien und auswärtigen Besitzungen mittelbar oder unmittelbar in bar, in Wechseln oder Schecks, durch Überweisung oder in sonstiger Weise zu leisten, sowie Geld oder Wertpapiere mittelbar oder unmittelbar nach den bezeichneten Gebieten abzuführen oder zu überweisen.

Leistungen zur Unterstützung von Deutschen bleiben gestattet.

§ 2. Schon entstandene oder noch entstehende vermögensrechtliche Ansprüche solcher natürlicher oder juristischer Personen, die in den im § 1 bezeichneten Gebieten ihren Wohnsitz oder Sitz haben, gelten vom 31. Juli 1914 an, oder wenn sie erst an einem späteren Tage zu erfüllen sind, von diesem Tage an bis auf weiteres gestundet. Für die Dauer der Stundung können Zinsen nicht gefordert werden. Rechtsfolgen, die sich nach den bestehenden Vorschriften in der Zeit vom 31. Juli 1914 bis zum Inkrafttreten dieser Verordnung aus der Nichterfüllung ergeben haben, gelten als nicht eingetreten.

Die Stundung wirkt auch gegen jeden Erwerber des Anspruchs, es sei denn, daß der Erwerb vor dem 31. Juli 1914, oder wenn der Erwerber im Inland seinen Wohnsitz oder Sitz hat, vor dem Inkrafttreten dieser Verordnung stattgefunden hat. Dem Erwerber des Anspruchs steht gleich, wer durch dessen Erfüllung einen Erstattungsanspruch erlangt hat.

§ 3. Der Schuldner kann sich dadurch befreien, daß er die geschuldeten Beträge oder Wertpapiere bei der Reichsbank für Rechnung des Berechtigten hinterlegt.

§ 4. Bei Wechseln, bei denen zur Zeit des Inkrafttretens dieser Verordnung die Frist für die Vorlage zur Zahlung und für die Protesterhebung wegen Nichtzahlung noch nicht abgelaufen und Protest noch nicht erhoben ist, wird durch das Zahlungsverbot und die Stundung die Zeit, zu der die Vorlage zur Zahlung und die Protesterhebung wegen Nichtzahlung zulässig und erforderlich ist, bis nach dem Außerkrafttreten dieser Verordnung hinausgeschoben. Die Frist, innerhalb deren die Vorlage und die Protesterhebung nach dem Außerkrafttreten zu erfolgen hat, bestimmt der Reichskanzler.

Die Vorschriften des Abs. 1 finden entsprechende Anwendung auf Schecks, bei denen die Zeit, innerhalb deren sie zur Zahlung vorzulegen sind, bei dem Inkrafttreten dieser Verordnung noch nicht abgelaufen ist.

Eine Verpflichtung zur Entrichtung des weiteren Wechselstempels nach § 3 Abs. 2 des Wechselstempelgesetzes wird durch das Zahlungsverbot und die Stundung nicht begründet.

§ 5. Die Vorschriften der §§ 1 bis 4 finden keine Anwendung, wenn es sich um eine im Inland erfolgende Erfüllung von Ansprüchen handelt, die für die im § 2 bezeichneten natürlichen oder juristischen Personen im Betrieb ihrer im Inland unterhaltenen Niederlassungen entstanden sind. Die Vorschriften der §§ 2, 3 finden jedoch Anwendung, wenn es sich um Rückgriffsansprüche der bezeichneten Personen wegen der Nichtannahme oder Nichtzahlung eines im Ausland zahlbaren Wechsels handelt.

§ 6. Mit Gefängnis bis zu 3 Jahren und mit Geldstrafe bis zu 50 000 Mark oder mit einer dieser Strafen wird, sofern nicht nach anderen Strafgesetzen eine höhere Strafe verwirkt ist, bestraft

1. wer wissentlich der Vorschrift des § 1 zuwiderhandelt;

2. wer wissentlich einem deutschen Ausfuhrverbote zuwider Waren nach den im § 1 bezeichneten Gebieten mittelbar oder unmittelbar ausführt;
3. wer wissentlich Waren, für die in Deutschland ein Ausfuhrverbot besteht, aus einem anderen Lande nach den im § 1 bezeichneten Gebieten mittelbar oder unmittelbar abführt oder überweist.

Der Versuch ist strafbar.

§ 7. Der Reichskanzler kann Ausnahmen von dem Verbote des § 1 und des § 6 Abs. 1 Nr. 3 zulassen.

Er kann im Wege der Vergeltung die Vorschriften dieser Verordnung auch auf andere feindliche Staaten für anwendbar erklären.

§ 8. Diese Verordnung tritt mit dem Tage der Verkündung, der § 6 jedoch erst mit dem 5. Oktober 1914 in Kraft.

Der Reichskanzler bestimmt, wann und in welchem Umfang diese Verordnung außer Kraft tritt.

2. Bekanntmachung des Reichskanzlers, vom 13. Oktober 1914.

(Reichsanzeiger Nr. 242 vom 14. Oktober 1914, Blatt 1914 S. 315).

Auf Grund des § 7 der Verordnung des Bundesrats, betreffend Zahlungsverbot gegen England, vom 30. September 1914 (Reichs-Gesetzbl. S. 421) werden Zahlungen, die zum Erlangen, Erhalten oder Verlängern des Patent-, Muster- oder Warenzeichenschutzes erforderlich sind, bis auf weiteres zugelassen.

3. Bekanntmachung des Reichskanzlers, betreffend Zahlungsverbot gegen Frankreich, vom 20. Oktober 1914.

(RGBl. 1914 S. 443, Blatt 1914 S. 315).

Auf Grund des § 7 Abs. 2 der Verordnung, betreffend Zahlungsverbot gegen England, vom 30. September 1914 (Reichs-Gesetzbl. S. 421) wird folgendes bestimmt:

Art. 1. Die Vorschriften der Verordnung vom 30. September 1914 werden im Wege der Vergeltung auch auf Frankreich und die französischen Kolonien und auswärtigen Besitzungen für anwendbar erklärt.

Die Anwendung unterliegt folgenden Einschränkungen:

1. Für die Frage, ob die Stundung gegen den Erwerber wirkt oder nicht (§ 2 Abs. 2 der Verordnung), kommt es ohne Rücksicht auf den Wohnsitz oder Sitz des Erwerbers nur darauf an, ob der Erwerb nach dem Inkrafttreten dieser Bekanntmachung oder vorher stattgefunden hat.
2. Soweit in der Verordnung vom 30. September 1914 auf den Zeitpunkt ihres Inkrafttretens verwiesen wird, tritt der Zeitpunkt des Inkrafttretens dieser Bekanntmachung an die Stelle.

Art. 2. Diese Bekanntmachung tritt mit dem Tage der Verkündung, hinsichtlich der Strafbestimmungen des § 6 der Verordnung vom 30. September 1914 jedoch erst mit dem 25. Oktober 1914 in Kraft.

4. Bekanntmachung des Reichskanzlers, betreffend Zahlungsverbot gegen Rußland, vom 19. November 1914.

(RGBl. 1914 S. 479, Blatt 1914 S. 338).

Auf Grund des § 7 Abs. 2 der Verordnung, betreffend Zahlungsverbot gegen England, vom 30. September 1914 (Reichs-Gesetzbl. S. 421) wird folgendes bestimmt:

Art. 1. Die Vorschriften der Verordnung vom 30. September 1914 werden im Wege der Vergeltung auch auf Rußland und Finnland für anwendbar erklärt.

Die Anwendung unterliegt folgenden Einschränkungen:

1. Für die Frage, ob die Stundung gegen den Erwerber wirkt oder nicht (§ 2 Abs. 2 der Verordnung), kommt es ohne Rücksicht auf den Wohnsitz oder Sitz des Erwerbers nur darauf an, ob

der Erwerb nach dem Inkrafttreten dieser Bekanntmachung oder vorher stattgefunden hat.

2. Soweit in der Verordnung vom 30. September 1914 auf den Zeitpunkt ihres Inkrafttretens verwiesen wird, tritt der Zeitpunkt des Inkrafttretens dieser Bekanntmachung an die Stelle.

Art. 2. Diese Bekanntmachung tritt mit dem Tage der Verkündung, hinsichtlich der Strafbestimmungen des § 6 der Verordnung vom 30. September 1914 jedoch erst mit dem 25. November 1914 in Kraft.

5. Bekanntmachung des Reichskanzlers, vom 16. Dezember 1914.

(Reichsanzeiger Nr. 295 vom 16. Dezember 1914, Blatt 1914 S. 362).

Auf Grund der Bekanntmachungen, betreffend Zahlungsverbot gegen Frankreich und gegen Rußland, vom 20. Oktober 1914 (Reichs-Gesetzbl. S. 443) und vom 19. November 1914 (Reichs-Gesetzbl. S. 479) werden gemäß § 7 der Verordnung des Bundesrats vom 30. September 1914 (Reichs-Gesetzbl. S. 421) Zahlungen, die zum Erlangen, Erhalten oder Verlängern des französischen oder des russischen Patent-, Muster- oder Warenzeichenschutzes erforderlich sind, bis auf weiteres zugelassen.

6. Bekanntmachung des Reichskanzlers, betreffend Zahlungsverbot gegen Rußland, vom 4. Februar 1915.

(RGBl. 1915 S. 69, Blatt 1915 S. 23).

Auf Grund des § 7 Abs. 1 der Verordnung, betreffend Zahlungsverbot gegen England, vom 30. September 1914 (Reichs-Gesetzbl. S. 421) und der Bekanntmachung, betreffend Zahlungsverbot gegen Rußland, vom 19. November 1914 (Reichs-Gesetzbl. S. 479) wird folgendes bestimmt:

Das Verbot, Zahlungen nach Rußland zu leisten und Geld oder Wertpapiere dorthin abzuführen oder zu überweisen (§ 1 Abs. 1

der Verordnung vom 30. September 1914 in Verbindung mit Artikel 1 der Bekanntmachung vom 19. November 1914), findet gegenüber den unter deutscher Zivilverwaltung stehenden Gebieten Rußlands keine Anwendung.

Diese Bekanntmachung tritt mit dem Tage der Verkündung in Kraft.

7 Bekanntmachung des Reichskanzlers, betreffend Ausnahme von dem Zahlungsverbot gegen Rußland und von der Sperre feindlichen Vermögens, vom 19. April 1916.

(RGBl. 1916 S. 312, Blatt 1916 S. 58).

Auf Grund des § 7 Abs. 1 der Verordnung, betreffend Zahlungsverbot gegen England, vom 30. September 1914 (Reichs-Gesetzbl. S. 421) und der Bekanntmachung, betreffend Zahlungsverbot gegen Rußland, vom 19. November 1914 (Reichs-Gesebl. S. 479) sowie der §§ 8, 10 der Verordnung über die Anmeldung des im Inland befindlichen Vermögens von Angehörigen feindlicher Staaten vom 7. Oktober 1915 (Reichs-Gesetzbl. S. 633) wird folgendes bestimmt:

1. Das Verbot, Zahlungen nach Rußland zu leisten und Geld oder Wertpapiere dorthin abzuführen oder zu überweisen (§ 1 Abs. 1 der Verordnung vom 30. September 1914 in Verbindung mit Artikel 1 der Bekanntmachung vom 19. November 1914) findet gegenüber den unter deutscher oder österreichisch-ungarischer Verwaltung stehenden Gebieten Rußlands keine Anwendung.

2. Für natürliche Personen, die in den unter deutscher oder österreichisch-ungarischer Verwaltung stehenden Gebieten Rußlands ihren Wohnsitz und in diesen Gebieten oder im Inland ihren gegenwärtigen Aufenthalt haben, sowie für juristische Personen, die in den genannten Gebieten Rußlands ihren Sitz und ihre gegenwärtige Verwaltung haben, werden folgende Ausnahmen zugelassen:

1. Die Veräußerung, Abtretung oder Belastung ihres im Inland befindlichen Vermögens zugunsten von Personen der bezeichneten Art oder von Personen, die im Inland ihren Wohnsitz, Sitz oder dauernden Aufenthalt haben, wird gestattet.

2. Es wird gestattet, Sachen, insbesondere Wertpapiere und Geldstücke, die im Eigentume der bezeichneten Personen stehen, nach den unter deutscher oder österreichisch-ungarischer Verwaltung stehenden Gebieten Rußlands abzuführen.

3. Diese Bekanntmachung tritt mit dem Tage der Verkündung in Kraft. Sie tritt an die Stelle der Bekanntmachungen vom 4. Februar 1915, betreffend Zahlungsverbot gegen Rußland (Reichs-Gesetzbl. S. 69) und vom 21. Oktober 1915, betreffend Ausnahme von der Sperre feindlichen Vermögens (Reichs-Gesetzbl. S. 707).

Bemerkung: Verkündet am 20. April 1916.

8. Bekanntmachung des Reichskanzlers, betreffend Zahlungsverbot gegen Ägypten und Französisch-Marokko, vom 14. Oktober 1915.

(RGBl. 1915 S. 673, Blatt 1915 S. 225).

Auf Grund des § 7 Abs. 2 der Verordnung, betreffend Zahlungsverbot gegen England, vom 30. September 1914 (Reichs-Gesetzbl. S. 421) wird folgendes bestimmt:

Art. 1. Die Vorschriften der Verordnung vom 30. September 1914 werden im Wege der Vergeltung auch auf das britische Okkupationsgebiet in Ägypten sowie auf die unter französischem Protektorat stehenden Gebietsteile Marokkos für anwendbar erklärt.

Die Anwendung unterliegt folgenden Einschränkungen:

1. Für die Frage, ob die Stundung gegen den Erwerber wirkt oder nicht (§ 2 Abs. 2 der Verordnung), kommt es ohne Rücksicht auf den Wohnsitz oder Sitz des Erwerbers nur darauf an, ob

der Erwerb nach dem Inkrafttreten dieser Bekanntmachung oder vorher stattgefunden hat.

2. Soweit in der Verordnung vom 30. September 1914 auf den Zeitpunkt ihres Inkrafttretens verwiesen wird, tritt der Zeitpunkt des Inkrafttretens dieser Bekanntmachung an die Stelle.

Art. 2. Diese Bekanntmachung tritt mit dem Tage der Verkündung, hinsichtlich der Strafbestimmung des § 6 der Verordnung vom 30. September 1914 jedoch erst mit dem 20. Oktober 1915 in Kraft.

9. Bekanntmachung des Reichskanzlers, betreffend wirtschaftliche Vergeltungsmaßnahmen gegen Portugal, vom 14. Mai 1916.

(RGBl. 1916 S. 375, Blatt 1916 S 58).

Im Wege der Vergeltung wird auf Grund des § 7 Abs. 2 der Verordnung, betreffend Zahlungsverbot gegen England, vom 30. September 1914 (Reichs-Gesetzbl. S. 421), des § 4 Abs. 2 der Verordnung über die Anmeldung des im Inland befindlichen Vermögens von Angehörigen feindlicher Staaten, vom 7. Oktober 1915 (Reichs-Gesetzbl. S. 633) und des § 9 der Verordnung, betreffend die zwangsweise Verwaltung französischer Unternehmungen, vom 26. November 1914 (Reichs-Gesetzbl. S. 487) folgendes bestimmt:

Art. 1. Die Vorschriften der Verordnung, betreffend Zahlungsverbot gegen England, vom 30. September 1914 werden auch auf Portugal und die portugiesischen Kolonien für anwendbar erklärt.

Die Anwendung unterliegt folgenden Einschränkungen:

1. Für die Frage, ob die Stundung gegen den Erwerber wirkt oder nicht (§ 2 Abs. 2 der Verordnung), kommt es ohne Rücksicht auf den Wohnsitz oder Sitz des Erwerbers nur darauf an, ob der Erwerb nach dem 9. März 1916 oder vorher stattgefunden hat.

2. Soweit in der Verordnung vom 30. September 1914 auf den Zeitpunkt ihres Inkrafttretens verwiesen wird, tritt der Zeitpunkt des Inkrafttretens dieser Bekanntmachung an die Stelle.

Art. 2. Die Vorschriften der Verordnung über die Anmeldung des im Inland befindlichen Vermögens von Angehörigen feindlicher Staaten vom 7. Oktober 1915 finden insoweit, als sie sich auf die Beschränkung der Verfügung über das inländische Vermögen und das Verbot der Abführung des Eigentums feindlicher Staatsangehöriger beziehen (§§ 5 bis 11, § 13 der Verordnung), auf das Vermögen portugiesischer Staatsangehöriger Anwendung.

Art. 3. Die Vorschriften der Verordnung, betreffend die zwangsweise Verwaltung französischer Unternehmungen, vom 26. November 1914 in der Fassung der Verordnung vom 10. Februar 1916 (Reichs-Gesetzbl. S. 89), werden auch gegenüber portugiesischen Staatsangehörigen für anwendbar erklärt.

Art. 4. Diese Bekanntmachung tritt mit dem Tage der Verkündung, hinsichtlich der Strafbestimmungen jedoch erst mit dem 20. Mai 1916 in Kraft.

Bemerkung: Verkündet am 16. Mai 1916.

10. Bekanntmachung des Reichskanzlers, betreffend Zahlungsverbot usw. gegen Rumänien, vom 28. August 1916.

(RGBl. 1916 S. 971, Blatt 1916 S. 105).

Auf Grund des § 7 Abs. 2 der Verordnung, betreffend Zahlungsverbot gegen England, vom 30. September 1914 (RGBl. S. 421) und des § 4 Abs. 2 der Verordnung über die Anmeldung des im Inland befindlichen Vermögens von Angehörigen feindlicher Staaten vom 7. Oktober 1915 (Reichs-Gesetzbl. S. 433) wird folgendes bestimmt:

Art. 1. Die Vorschriften der Verordnung, betreffend Zahlungsverbot gegen England, vom 30. September 1914 werden auch auf Rumänien für anwendbar erklärt.

Die Anwendung unterliegt folgenden Einschränkungen:

1. Für die Frage, ob die Stundung gegen den Erwerber wirkt oder nicht (§ 2 Abs. 2 der Verordnung) kommt es ohne Rücksicht auf den Wohnsitz oder Sitz des Erwerbers nur darauf an, ob der Erwerb nach dem 28. August 1916 oder vorher stattgefunden hat.

2. Soweit in der Verordnung vom 30. September 1914 auf den Zeitpunkt ihres Inkrafttretens verwiesen wird, tritt der Zeitpunkt des Inkrafttretens dieser Bekanntmachung an die Stelle.

Art. 2. Die Vorschriften der Verordnung über die Anmeldung des im Inland befindlichen Vermögens von Angehörigen feindlicher Staaten vom 7. Oktober 1915 finden insoweit, als sie sich auf die Beschränkung der Verfügung über das inländische Vermögen und das Verbot der Abführung des Eigentums feindlicher Staatsangehöriger beziehen (§§ 5 bis 11, § 13 der Verordnung), auf das Vermögen rumänischer Staatsangehöriger Anwendung.

Art. 3. Diese Bekanntmachung tritt mit dem Tage der Verkündung in Kraft.

Bemerkung: Verkündet am 29. August 1916.

11. Bekanntmachung des Reichskanzlers, vom 17. Oktober 1916.

(Reichsanzeiger Nr. 246 vom 18. Oktober 1916, Blatt 1916 S. 122).

Auf Grund des § 7 Abs. 1 der durch die Bekanntmachung vom 28. August 1916 (Reichs-Gesetzbl. S. 971) auf Rumänien erstreckten Verordnung des Bundesrats vom 30. September 1914 (Reichs-Gesetzbl. S. 421) werden Zahlungen, die zum Erlangen, Erhalten oder Verlängern des rumänischen Patent- oder Warenzeichenschutzes erforderlich sind, bis auf weiteres zugelassen.

12. Bekanntmachung des Reichskanzlers, betreffend wirtschaftliche Vergeltungsmaßnahmen gegen Italien, vom 24. November 1916.

(RGBl. 1916 S. 1289, Blatt 1916 S. 149).

Im Wege der Vergeltung wird auf Grund des § 7 Abs. 2 der Verordnung, betreffend Zahlungsverbot gegen England, vom 30. September 1914 (Reichs-Gesetzbl. S. 421), des § 4 Abs. 2 der Verordnung über die Anmeldung des im Inland befindlichen Vermögens von Angehörigen feindlicher Staaten vom 7. Oktober 1915 (Reichs-Gesetzbl. S. 633) und des § 9 der Verordnung, betreffend die zwangsweise Verwaltung französischer Unternehmungen, vom 26. November 1914 (Reichs-Gesetzbl. S. 487) folgendes bestimmt:

§ 1. Zahlungen nach Italien, nach den italienischen Kolonien und auswärtigen Besitzungen sowie nach den von italienischen Streitkräften besetzten Gebieten mittelbar oder unmittelbar in bar, Wechseln oder Schecks, durch Überweisung oder in sonstiger Weise zu leisten, sowie Geld oder Wertpapiere mittelbar oder unmittelbar nach den bezeichneten Gebieten abzuführen oder zu überweisen, ist verboten, wenn solche Zahlungen, Abführungen oder Überweisungen Handelsgeschäfte im Sinne des Handelsgesetzbuchs sind, oder wenn sie erfolgen

1. zur Erfüllung von Geschäften, die für einen Teil oder für beide Teile Handelsgeschäfte im Sinne des Handelsgesetzbuchs sind,
2. zur Einlösung von Wechseln oder Schecks,
3. auf Schuldverschreibungen des Reichs oder eines Bundesstaates, die vor dem 31. Juli 1914 ausgestellt sind.

§ 2. Die Vorschriften des § 1 Abs. 2 sowie der §§ 2 bis 7 der Verordnung, betreffend Zahlungsverbot gegen England, vom 30. September 1914 finden auch gegenüber den im § 1 bezeichneten Gebieten Anwendung. Die Stundung gilt nur insoweit, als es sich um Ansprüche aus Geschäften oder Wertpapieren der im § 1 Nr. 1 bis 3 der gegenwärtigen Verordnung bezeichneten Art handelt.

Für die Frage, ob die Stundung gegen den Erwerber wirkt (§ 2 Abs. 2 der Verordnung), kommt es ohne Rücksicht auf den Wohnsitz oder Sitz des Erwerbers nur darauf an, ob der Erwerb nach dem 30. April 1916 oder vorher stattgefunden hat.

Soweit in der Verordnung vom 30. September 1914 auf den Zeitpunkt ihres Inkrafttretens verwiesen wird, tritt der Zeitpunkt des Inkrafttretens dieser Bekanntmachung an die Stelle.

Die Vorschriften des § 6 Nr. 2, 3 der Verordnung finden keine Anwendung.

§ 3. Die Vorschriften der §§ 5 bis 11 und des § 13 der Verordnung über die Anmeldung des im Inland befindlichen Vermögens von Angehörigen feindlicher Staaten vom 7. Oktober 1915 finden auf das Vermögen italienischer Staatsangehöriger Anwendung.

§ 4. Die Vorschriften der Verordnung, betreffend die zwangsweise Verwaltung französischer Unternehmungen, vom 26. November 1914 in der Fassung der Verordnung vom 10. Februar 1916 (Reichs-Gesetzbl. S. 89) werden auch gegen italienische Staatsangehörige für anwendbar erklärt.

§ 5. Diese Bekanntmachung tritt mit dem Tage der Verkündung, hinsichtlich der Strafbestimmungen jedoch erst mit dem 27. November 1916 in Kraft.

Bemerkung: Verkündet am 24. November 1916.

13. Bekanntmachung des Reichskanzlers, vom 28. Dezember 1916.

(Reichsanzeiger Nr. 304 vom 28. Dezember 1916, Blatt 1917 S. 2).

Die Vorschriften der Bekanntmachungen vom 13. Oktober 1914, 16. Dezember 1914 und 17. Oktober 1916 (Reichsanzeiger vom 14. Oktober 1914, 16. Dezember 1914 und 18. Oktober 1916), wonach Zahlungen, die zum Erlangen, Erhalten oder Verlängern des Patent-, Muster- oder Warenzeichenschutzes erforderlich sind, von den Zahlungsverboten gegen England, Frankreich, Rußland und Rumänien bis auf weiteres ausgenommen sind, finden nur auf Schutzrechte von Angehörigen des Reichs, der verbündeten und der neutralen Staaten Anwendung.

14. Schreiben des Reichskanzlers vom 2. Februar 1916 betreffend Zahlung an Patentanwälte als Vertreter feindlicher Ausländer.

Der Reichskanzler hat sich in einem Schreiben vom 2. Februar 1916 an den Verband Deutscher Patentanwälte auf Grund des § 8 der BV., über die Anmeldung des im Inland befindlichen Vermögens von Angehörigen feindlicher Staaten von 7. Oktober 1915 (RGBl. S. 633) damit einverstanden erklärt, daß die durch Patentanwälte im Auftrag feindlicher Aus- länder beim Patentamt eingezahlten, aber nicht fällig gewordenen Gebühren an den Einzahler zurückgegeben und gegebenenfalls zur Zahlung von Gebühren für andere Schutzrechte feindlicher Ausländer verwendet werden.

d) Bekanntmachung des Reichskanzlers, betreffend Vorschriften über die Anmeldung des im Inland befindlichen Vermögens von Angehörigen feindlicher Staaten, vom 10. Oktober 1915.

(RGBl. 1915 S. 653, Blatt 1915 S. 210).

Auf Grund des § 1 der Verordnung des Bundesrats über die Anmeldung des im Inland befindlichen Vermögens von Angehörigen feindlicher Staaten vom 7. Oktober 1915 (Reichs-Gesetzbl. S. 633), wird folgendes bestimmt:

. . . .

Artikel 10 Ziffer 3:

„Nicht anzumelden sind:

3. Urheberrechte und gewerbliche Schutzrechte, unbeschadet der Anmeldung von vermögensrechtlichen Ansprüchen, die auf Grund solcher Rechte entstanden sind."

e) **Bekanntmachung des Oberbefehlshabers in den Marken, vom 1. November 1916.**

(Blatt 1916 S. 156).

Für das Gebiet der Stadt Berlin und der Provinz Brandenburg bestimme ich hiermit:

Es ist verboten, Patente oder Musterschutzrechte, die ein Deutscher oder eine deutsche Firma im Auslande angemeldet oder erworben hat und die einem Ausfuhrverbot unterliegende Gegenstände betreffen, unmittelbar oder mittelbar nach oder in dem feindlichen oder neutralen Auslande zu veräußern oder dort in anderer Weise zu verwerten.

Das gleiche gilt von Fabrikationsgeheimnissen, soweit es sich um einem Ausfuhrverbot unterliegende Gegenstände handelt.

Jede Übertretung oder Anregung zur Übertretung dieses Verbots wird nach § 9 Buchstabe b des Gesetzes über den Belagerungszustand vom 4. Juni 1851 in der Fassung des Gesetzes vom 11. Dezember 1915 bestraft.

Der Oberbefehlshaber in den Marken.

Inhaltlich übereinstimmende Verbote sind auch von den sonst beteiligten militärischen Stellen erlassen worden.

Sachregister.

(Die Zahlen bezeichnen die Seiten.)